novum premium

Uwe Malich

WILDAU

Ein starkes Stück Ostdeutschland

Ein langjähriger Bürgermeister blickt zurück

novum premium

© 2021 novum Verlag

ISBN 978-3-903271-99-9
Lektorat: Thomas Schwentenwein
Umschlagfoto: Oliver Hein, Zeuthen
Umschlaggestaltung, Layout & Satz:
novum Verlag
Innenabbildungen:
siehe Bildquellennachweis S. 80

Die vom Autor zur Verfügung gestellten Abbildungen wurden in der bestmöglichen Qualität gedruckt.

Gedruckt in der Europäischen Union auf umweltfreundlichem, chlor- und säurefrei gebleichtem Papier.

www.novumverlag.com

Bibliografische Information
der Deutschen Nationalbibliothek:

Die Deutsche Nationalbibliothek
verzeichnet diese Publikation in
der Deutschen Nationalbibliografie.
Detaillierte bibliografische Daten
sind im Internet über
http://www.d-nb.de abrufbar.

Inhaltsverzeichnis

VORSPIEL

Natürlich wurde auch in Wildau in der so genannten Wendezeit die Grenzöffnung im Herbst 1989 mit großer Sehnsucht erwartet. Als ich am 10.11.1989 von der Arbeit nach Hause kam, stand eine riesige Menschenmenge vor dem Einwohnermeldeamt von Wildau, um einen Stempel für Schritte über die innerdeutsche Grenze zu bekommen. Die meisten von ihnen wollten nur gucken, einige allerdings der DDR für immer den Rücken kehren.

Der Autor am Beginn seiner Amtszeit

Ich war vom Verlauf der Ereignisse damals nicht begeistert. Denn ich konnte mir als Volkswirt und Wirtschaftshistoriker klar ausmalen, was die Grenzöffnung bedeutete: den Untergang der DDR, – Verzeihung – den Anschluss der DDR an das viel stärkere Westdeutschland und die unbeschränkte Einflussnahme bundesdeutscher Eliten auf die weitere Entwicklung im Osten. Was mich anfänglich wunderte, war die zunächst zögerliche Haltung von Margarete Thatcher und Francois Mitterand. Die Britin und der Franzose wollten offenbar die dominierende Rolle ihrer Länder in Europa in Folge des Zweiten Weltkriegs und der deutschen Teilung nicht einfach aufgeben, auch aufgrund ihrer historischen Erfahrungen mit einem Groß-Deutschland in der ersten Hälfte des 20. Jahrhunderts. Helmut Kohl war aber zu stark und zu klug, und er hatte mit Michail Gorbatschow und dem US-Präsidenten George Bush die Führer der wichtigsten Siegermächte des Zweiten Weltkrieges auf seiner Seite.

Ich blieb skeptisch. Klar, es musste etwas passieren, aber nicht gerade der Anschluss des Ostens an den Westen. Selbstständige Reformen in der DDR, eine eigeninitiierte Stärkung des Landes wären sinnvoller gewesen. Doch die Sowjetunion und ihre Satelliten-Staaten, einschließlich der DDR, waren zu schwach, die politischen, wirtschaftlichen und sozialen Strukturen zu verkrustet, um kurzfristig noch eigene Wege zu suchen und erfolgreich zu beschreiten. Für die meisten Ostdeutschen war vor allem die D-Mark zu attraktiv, die wollten sie möglichst schnell ihr Eigen nennen, und gegen die damit verbundenen Versprechen und Verheißungen gab es kein Halten. Ich mischte mich damals ein und schrieb einen Artikel (zeitiges Frühjahr 1990) für die Ost-*taz*, in dem ich die schnelle Einführung der D-Mark in der DDR mit dem Trojanischen Pferd verglich. Sinnlos. Das ersehnte neue Geld wurde freudetrunken im Land begrüßt (01. Juli 1990).

Die Wirkung der D-Mark war ambivalent. Alle Bürger erhielten endlich eine überall kaufkräftige Währung, die ihnen von der SED immer wieder verwehrt worden war. Für die ostdeutschen Betriebe bedeutete die D-Mark allerdings eine schwere Belastung. Die gerade in Umwandlung zu Kapitalgesellschaften befindlichen Unternehmen wurden über Nacht mit Weltmarktpreisen konfrontiert, mussten radikal Kosten senken, um überhaupt noch absetzen zu können. Sie waren in der Regel aber überhaupt nicht wettbewerbsfähig, weil ihnen quasi über Nacht ihr Hauptabsatzmarkt, das „sozialistische Wirtschaftssystem RGW", wegbrach. Bei dem Rat für gegenseitige Wirtschaftshilfe handelte es sich um das zentrale Organisationsorgan für die Zusammenarbeit zwischen Sowjetunion und den Satellitenstaaten. Die langjährigen Kunden dort konnten mangels konvertierbarer Währungen nicht mehr bezahlen …

„Personaleinsparung" wurde zum Hauptansatzpunkt. Vorher undenkbar: Massenarbeitslosigkeit und vorzeitige Berentung waren die Folgen. Auch Wildau, insbesondere der große Wildauer Schwermaschinenbaubetrieb, der vor allem für den DDR-Schiffbau-Ostexport produzierte, wurde davon hart getroffen. Mehrere Tausend, bis dahin bestens ausgebildete und gut bezahlte Arbeitskräfte wurden in Wildau und Umgebung arbeitslos – mit schlechten Aussichten auf einen neuen Job. Wie sollte es weiter gehen?

Vor diesen Fragen standen die Bürgerinnen und Bürger, der neue sozialdemokratische Bürgermeister sowie die unterschiedlichen Fraktionen in der Gemeindevertretung. Immerhin hatte Wildau von Anfang an einen gewichtigen Vorteil gegenüber anderen ostdeutschen Kommunen: die Berlin-Nähe. Schon gleich nach der Vereinigung, dem Anschluss des Ostens von Deutschland an die Bundesrepublik Deutschland, begann von Berlin aus ein starker Suburbanisierungsprozess. Viele Berliner zogen jetzt in das schöne Umland. Auch Wildau wurde davon positiv betroffen. Trotz der Massenarbeitslosigkeit stieg die Bevölkerungszahl rasant an.

Und es gab erste Investoren, die in der Nähe von Berlin, innerhalb des Autobahnringes, ihr Geld anlegen wollten. In Wildau entstanden unter anderem Tochtergesellschaften von BMW und Toyota. Eine sehr große, baurechtlich schwierige und umstrittene Investition wurde gegen viele Widerstände getätigt: das A10-Center. Für rund 300 Millionen D-Mark wurde eines der größten, wenn nicht das größte, deutsche Einkaufszentrum mit rund 1.000 Frauen-Arbeitsplätzen in den märkischen Sand gebaut, im ostdeutschen Wildau. Der Begriff „Frauen-Arbeitsplätze" erntet heute nur noch Hohn und Spott, war aber damals in Zeiten der Massenarbeitslosigkeit und der Massenabwanderung in Richtung Westen sehr wichtig. Arbeitsplätze wurden geschaffen, die trotz der relativ geringen Bezahlung sehr gern angenommen wurden, vor allem von Frauen. Man konnte mit der eigenen Hände Arbeit wieder sicher sein Geld verdienen und konnte damit auch im Osten bleiben. Die Stärkung der „Frauen-Arbeit" war ein wichtiger demografischer Faktor für den Osten. Es gab trotzdem Widerstand, vor allem von den Nachbarn (besonders Königs Wusterhausen). Aber Wildau, der Investor und der Bürgermeister Gerd Richter setzten sich durch. Im Herbst 1996 wurde das A10 Center eröffnet.

Ich selbst war Anfang der 90er Jahre noch in Berlin beschäftigt, an „meiner" Hochschule für Ökonomie (HfÖ) im Bereich Wirtschaftsgeschichte. 1991 kam ich in die so genannte „Warteschleife". Im selben Jahr wurde die Hochschule abgewickelt. Einen wirklichen Grund dafür gab es aus meiner Sicht nicht. Die neue Ostberliner Politführung soll vor allem dahingehend interessiert/bestrebt gewesen sein. Ich hatte später die Gelegenheit, den damaligen regierenden Bürgermeister Walter Momper daraufhin anzusprechen. „Ihr habt Euch doch kaum gewehrt", war seine Antwort. Er hatte leider nicht unrecht. Wir – der Bereich Wirtschaftsgeschichte – gingen immerhin den Rechtsweg gegen die Abwicklung, wenn auch erfolglos.

Von einer der gewerkschaftlichen Helferinnen hörten wir intern: „Das geschieht Euch doch recht, was hier passiert". Eine Begründung lieferte sie nicht. Aber das Thema GEW (Gewerkschaft Erziehung und Wissenschaft) hatte sich damit für mich erledigt.

Ich brachte parallel noch meine Promotion B zum Abschluss, vergleichbar mit der bundesdeutschen Habilitation. Anfang August 1991 hatte mich mein ehemaliger Chef Prof. Walter Becker überzeugt, die abschließenden Thesen zu schreiben, was ich dann auch mit Hilfe meiner damaligen Frau tat. Die Studien der Promotion B und die Thesen[1] sind heute noch lesbar. Insbesondere die Studie

Mit ehem. Kollegen der Hochschule für Ökonomie Berlin;
Prof. Dr. Michael Laschke (mittig), Prof. Dr. Walter Becker (rechts)

zum ersten Weltkrieg (2018 noch einmal publiziert) ist nach wie vor aktuell und wichtig, weil sie „das Geheimnis des Krieges" erklärt.[2] Heute werden der russische Zar und der deutsche Kaiser gern als Traumwandler dargestellt, die mit ihrer verantwortlichen Entourage in den Krieg hineinschlitterten. Das wird den Tatsachen nicht gerecht. Zar und Kaiser sowie viele andere damals politisch Verantwortliche unterschätzten im Juli 1914 den künftigen Krieg völlig, verharmlosten das, was kam, was kommen musste. Der Krieg wurde furchtbar für die Menschen und auch für die damals „allerhöchsten Stellen". Meine Studie wirkt heute ein bisschen Lenin-lastig. Es schien aber damals unumgänglich, diesen wichtigen Zeitzeugen mit seinen Widersprüchlichkeiten ausführlich zu zitieren, um eine neue Sicht zu begründen. Immerhin fand ich auch Rosa Luxemburg auf meiner Seite, die frühzeitig die wahre Dimension dieses Krieges erkannte.[3] Meine B-Promotion wurde die letzte an der HfÖ.

Schon gleich danach kam der Bruch mit dieser Institution. Ich hätte ins Ausland (Japan) gehen können. Doch ich wollte in Wildau bleiben, meinem Geburtsort. Aber Volkswirte oder Wirtschaftshistoriker hatten jetzt nur geringe neue Chancen auf dem Arbeitsmarkt, insbesondere wenn sie aus dem Osten kamen.

Ich dachte über eine Karriere in der Betriebswirtschaft nach, verwandt mit der Volkswirtschaft, aber anders und im Vergleich zur Volkswirtschaft aus meiner Sicht langweilig. Dafür ein viel größerer Markt! Ich fügte mich langsam in das Unvermeidliche: Arbeitslosigkeit, einzelne Unternehmens- und Existenzgründerberatungen sowie Unterricht zu volkswirtschaftlichen Themen bei Bildungsträgern wurden Schwerpunkte im ersten Jahr meiner beruflichen Neuorientierung. Dabei erlebte ich gleich eine Insolvenz: Eine Berliner Schulungsfirma konnte meine Rechnungen nicht mehr bezahlen. Der finanzielle Verlust dadurch war relativ groß (1.000 Mark) und mir tat es in meiner damaligen Situation richtig weh.

Aufträge im Bereich der Unternehmens- bzw. Existenzgründerberatung nahmen zum Glück weiter zu, so dass ich nach einem Jahr davon leben konnte, jedenfalls mit Hilfe meiner damaligen Frau. In manchem Monat war das Einkommen richtig gut, in manchem Monat gleich null. Miete musste aber in jedem Monat bezahlt werden. Auch mit der Wissenschaft ging es weiter, die war aber im Wesentlichen eine „brotlose Kunst". Immerhin schrieben wir damals mehrere Studien über einen Großflughafen in der Region Berlin-Brandenburg für das kommunalpolitische Forum des Landes Brandenburg (PDS-nahe, deshalb damals einflusslos in Bezug auf den Großflughafen). Wir gründeten 1991 auch eine entsprechende Studien-Gesellschaft. Ich wurde ihr erster Vorsitzender für 12 Jahre. Der Großflughafen ist inzwischen tatsächlich fertig. Die Meinung von neutralen Betriebs- oder Volkswirten wurde lange nicht gehört. Leider.

Schritt für Schritt bildete sich in diesem Durcheinander bei mir eine Spezialisierung heraus, die zunehmend Geld brachte, Spaß machte und auch für später nützlich war: Marketing. Die erste Berührung mit dem Thema hatte ich schon zu DDR-Zeiten. Es war ein russisches Buch über Marketing. Ich verstand damals noch nicht viel. Das änderte sich später, zunächst in Bezug auf den Einzelhandel, danach auch in Bezug auf die Kommune (Stadtmarketing). Insofern war dieser berufliche Zwischenschritt wichtig für mich.

1993 nahm ich noch eine ehrenamtliche Aufgabe an. Ich wurde Mitglied der neuen Leitung der Abteilung Handball des BSV Motor Wildau, zuständig für Öffentlichkeitsarbeit und Sponsoring, also für die Geldbeschaffung. Die neue Handball-Arbeit wurde sehr schwierig und sehr intensiv. Schnell war das Konzept geschrieben für den Aufstieg in die 2. Bundesliga. Die Berlin-Nähe war dafür ein positiver Faktor. Aber das Geld setzte enge Grenzen. Es fehlte das große Unternehmen, das viel beisteuern konnte und wollte. Schon bald hatten wir zumindest einen bezahlten Handballer aus Berlin. Der historisch wichtigste Handballer von Wildau (Horst Leuchtenberger), ursprünglich (im zweiten Weltkrieg) ein Zuwanderer aus Schlesien, griff dafür in seine Privat-Schatulle.

Nach meinem ersten Wahlsieg zum Bürgermeister.
Fete und „unterschwellige" Zielsetzung

Doch auch der Handball blieb rund. Selbst der Profi machte Fehler und wurde nicht jedes Mal Torschützenkönig der Mannschaft. Eifersüchteleien und schlechte Spiele waren die Folge.

Der Übergang in die nächste Stufe, den leicht bezahlten Handball, würde schwierig werden. Immerhin gab es schon 1994 einen großen Lichtblick für Wildau. Die Männer-Handballer von Motor Wildau wurden unter Trainer Michael Weiß Landes-Pokalsieger, und das als Verbandsliga-Mannschaft, unter der Oberliga spielend! Heute sind die Wildauer Männer noch in der Oberliga des Landes Brandenburg.

Manche Jugendmannschaft spielt noch höher. Der Verein hat weit über 300 Mitglieder. Noch immer aber sind das Geld knapp und die Trainingskapazitäten begrenzt. Ich verließ 1999 die Handball-Leitung. Die ehrenamtliche Arbeit war nicht mehr zu schaffen. Denn ich war im Herbst 1998 noch in die Wildauer Kommunalpolitik gewählt worden (als Fraktionsvorsitzender der PDS in der Gemeindevertretung). Außerdem war ich seit dem Mai 1997 Aufsichtsratsvorsitzender der Wildauer Wohnungsbaugesellschaft. Beide neuen Aufgaben nahmen mich sehr in Beschlag.

Im Wohnungsbau ging es damals – anders als heute – vor allem um die Sanierung der alten, zu DDR-Zeiten vernachlässigten Bestände und um die (nachzuholende) Restitution von ehemals jüdischen, in der Nazi-Zeit zu Unrecht enteigneten Immobilien. Für letztere war (zumindest teilweise) eine finanzielle Lösung möglich (Ablösung). Auch die WiWO musste aufgrund der Lasten der Vergangenheit umfangreiche Kredite aufnehmen. Dank kostendeckender Mieten war die Bonität der Gesellschaft trotzdem hoch. Sogar Neubauvorhaben waren möglich. Zum Glück angesichts der inzwischen angespannten Wohnungsmarktlage.

Neubau ist aus meiner Erfahrung unbedingt erforderlich, um den Wohnungsmarkt zu entspannen und so Druck auf die Mietpreise zu erzeugen. Denn aktuell können Investoren ihr Interesse an steigenden Mieten relativ einfach durchsetzen. Die Mieter, vor allem die Neu-Mieter, müssen Monat für Monat finanziell bluten. Das Mittel der Enteignung allein hilft gar nichts. Es muss vor allem gebaut werden, von Privaten, von der öffentlichen Hand, von Genossenschaften. Ich bin nur froh, dass wir in Wildau den Versuch der CDU, die WiWO zu privatisieren, abwehren konnten. Dass in Deutschland zu wenig neue Wohnanlagen gebaut werden, liegt aber auch an den etablierten Mietern, weil sie oft gegen Wohnungs-Neubau sind. Die Neuen könnten ja Grün zerstören oder Sicht nehmen. „Geht gar nicht", sagen oft genug alte Mieter mit Einfluss auf die Kommunalabgeordneten.

1998 wurde ich Kommunalabgeordneter, immer noch in der Partei meiner Jugend, die inzwischen demokratisiert war, aber noch immer schwer an ihrer Vergangenheit zu nagen hatte. Bei mir kam damals noch Trotz dazu, deshalb die Kandidatur gerade für diese Partei (PDS). Eine andere Partei schaffte die absolute Mehrheit, die SPD. Sie hatte eine anerkannte Persönlichkeit als Bürgermeister und konnte auf ihre erfolgreichen kommunalpolitischen Traditionen in der Gemeinde schon Anfang der 30er-Jahre des 20. Jahrhunderts verweisen. Andere Parteien, auch wir, hatten es schwer damals. Dennoch verlief die Arbeit in der Gemeindevertretung oft kooperativ. Es gab so etwas wie „Burgfrieden" zwischen den Parteien angesichts der Massenarbeitslosigkeit, „Wildauer Weg" nannte man das damals. Und wir von der PDS waren dabei, wenngleich der SPD-Bürgermeister natürlich seine eigene klare Mehrheit hatte.

Wahlkampf 2001

Im Herbst 2000 entschloss ich mich, als Bürgermeister zu kandidieren. Ich war immerhin Fraktionsvorsitzender in der Wildauer Gemeindevertretung, Mitglied ihres Hauptausschusses und seit Ende 1998 auch als Nachrücker Kreistagsmitglied. Der beliebte Amtsinhaber durfte aus Altersgründen damals nicht noch einmal antreten. Natürlich war ich bei meiner Parteizugehörigkeit nur ein krasser Außenseiter. Favorit war ein SPD-Mann. Meine Außenseiter-Chance wollte ich aber nutzen. Der Favorit hatte eine relativ schlechte Ausgangsposition, da er sich als Ordnungsamtsleiter viele Feinde gemacht hatte. Außerdem war der Amtsinhaber relativ reserviert gegenüber seinem eigenen Partei-Mann.

Ehe der Wahlkampf so richtig losging, musste und wollte ich mit meinem Kollegen Dr. Frank Welskop noch eine Studie schreiben über den BBI. Das passierte noch bis zum Frühjahr 2001. Die Studie erlebte immerhin zwei Auflagen. Dr. Welskop erarbeitete damals den Hauptteil, ich den historischen Teil. Unsere betriebswirtschaftliche und Standortkritik fielen sehr hart aus. Die drei Gesellschafter des Flughafens, ihre hohen und höchsten politischen Repräsentanten (ein Bundesminister und zwei Landes-Regierungschefs) hatten den falschen Standort politisch bestimmt.

Und es war schon relativ viel Geld (bis heute natürlich noch viel mehr) ausgegeben worden. Da hatten Argumente kaum noch eine Chance. Immerhin war die Resonanz des allgemeinen Publikums auf unsere Studie groß, der Einfluss auf das Projekt allerdings sehr gering.

Der Wahlkampf in Wildau begann.

Dieser war nach meiner Erinnerung weniger von der Sache bestimmt, sondern von den Persönlichkeiten. Ich fühlte mich als

Außenseiter. Der SPD-Kollege sah sich als Favorit. Das hing auch mit der Geschichte des Ortes vor 1933 zusammen. Durch das Schwartzkopff-Werk (Berliner Maschinenbau Actien-Gesellschaft vorm. Louis Schwartzkopff), durch die Schwartzkopff-Arbeiter, war die SPD traditionell in Wildau stark. Aber ich gewann die Wahl überraschender Weise mit 38 Prozent, vor den anderen drei Kandidaten. Der Wahlsieg war unerwartet deutlich, aber es reichte noch nicht zur absoluten Mehrheit von 50 Prozent plus einer Stimme. Eine Stichwahl der ersten beiden Kandidaten, in der der SPD-Mann und ich noch einmal antraten, musste her. Noch war nichts entschieden. Die Stichwahl fiel auch für mich aus. 58 Prozent der Wähler und Wählerinnen stimmten für mich als Bürgermeister – ein klarer Sieg.

Das Plakat meines ersten Wahlkampfes 2001

Ich kann mich an zwei Übergabegespräche mit meinem Vorgänger erinnern. Dabei gab es nichts Sensationelles. Wobei eines der Gespräche relativ weit außerhalb von Wildau stattfand. Man sollte uns offenbar nicht in der Wildauer Öffentlichkeit zusammen sehen. Das hing wohl mit meiner Partei (PDS) zusammen, die damals noch als Schmuddelkind galt wegen ihrer SED-Vorgeschichte. Ich hatte nie ein Hehl daraus gemacht, selbst von da zu kommen, natürlich unter mittlerweile gravierenden Veränderungen. An eine Prophezeiung meines Vorgängers musste ich oft denken. „In der Position wirst du sehr einsam". Und: „Du musst als Bürgermeister alle gleichbehandeln, den Heros genauso wie den Hartz-IV-Empfänger, die Mutter Theresa genauso wie die ‚Xanthippe'". Ich dachte in den Folgejahren oft über diese Voraussagen nach. Heute bin ich der Meinung, er hatte dramatisiert, obwohl die Tendenz in diese Richtung geht.

Die Arbeit beginnt

Zunächst hatte ich ab dem 01.02.2002 keine Zeit zum Nachdenken über derartige Prognosen. Ich funktionierte nur noch in meinem neuen Job. Und dann gab es noch einige Restverpflichtungen von früher. Ich war froh, Dr. Peter Mittelstädt für den Aufsichtsrat der WiWO zu gewinnen. Er konnte aufgrund seiner Erfahrung gleich den Vorsitz des Aufsichtsrates von mir übernehmen. Ich war jetzt auch qua Amt Gesellschaftervertreter der Gemeinde in dieser Gesellschaft. Mein neuer Tätigkeitsbereich ging querbeet: von Absprachen mit dem Briefmarkenverein bis zur Vorbereitung von Millioneninvestitionen (zum Beispiel Eisenbahnüberführung Bergstraße). Überall war mein Mitwirken gefragt.

Eine große Aufgabe stand gleich im ersten Halbjahr 2002 an: Ein neuer Geschäftsführer für die Wohnungsbaugesellschaft musste gefunden und bestellt werden. Es gab immerhin 80 Bewerbungen. Darunter ein junger Mann mit ersten Erfahrungen in der Berliner Wohnungswirtschaft. Er wurde auch von einem Berater empfohlen. Und er machte in der Bewerbungskommission einen sehr guten, den besten Eindruck. Aber er war als junger Mann noch ein relativ unbeschriebenes Blatt. Dementsprechend war seine Nominierung ein Risiko für uns. Wir entschlossen uns für das Risiko und landeten mit Frank Kerber einen Volltreffer. Das Unternehmen wurde umgestaltet, der heruntergekommene Alt-Wohnungsbestand wurde Schritt für Schritt komplett saniert. Trotz hoher Kreditaufnahmen ist die Bonität des Unternehmens bis heute (jedenfalls bis 2019) attraktiv. In den letzten Jahren wurden immer wieder kräftige Überschüsse erzielt (1 Million Euro und mehr), aktuell reicht die wirtschaftliche Kraft der WiWO auch für den Wohnungs-Neubau. Hierbei ist das Unternehmen u. a. den Kompromissweg relativ kleiner Wohnungen gegangen, um hochwertig, aber auch für den normalen Mieter noch bezahlbar zu bauen.

Insgesamt wurden von der Tochtergesellschaft der Stadt sehr große Summen erfolgreich investiert. Für die Sanierung der prägenden Schwartzkopffsiedlung (SKS) erhielt die WiWO verdientermaßen einen anerkannten Denkmalpreis.

Schon in 2002 begann der politische Versuch der Wildauer CDU, die WiWO zu privatisieren. Zum Glück – auch im Interesse der Wildauer Mieter – scheiterte dieser Versuch. Linke und SPD waren sich hier noch einmal einig und bildeten gemeinsam die Mehrheit. Zaubern kann aber auch die städtische WiWO nicht. Ihre Mieterinnen und Mieter müssen relativ hohe Mieten bezahlen, jeden Monat. Stabile und gut bezahlte Arbeitsplätze sind für die Bürgerinnen und Bürger deshalb dringend erforderlich.

2003, nachdem Teile der Wildauer Politik einen Teilabriss der berühmten, inzwischen unter Denkmalschutz stehenden Schwartzkopffsiedlung wollten, begann deren Sanierung, allerdings mit einem Haus, das eigentlich nicht dazu gehörte: mit dem "schmalen Handtuch", einem Gebäude aus den Anfangsjahren der DDR. Kleine Wohnungen und relativ niedrige Mieten. Das mit den kleinen Wohnungen war eine gute Idee der damals noch sehr armen DDR. Aber die Mieten waren so niedrig, dass sie für die Reproduktion des Wohnungsbestandes nicht ausreichten. Eine eigentlich gut gemeinte und für die Mieter bequeme Idee schlug hier und landesweit in ihr Gegenteil um. Die Wohnungen verfielen immer mehr. Auch das „schmale Handtuch" in Wildau.

Im Jahr 2016 wurde nach langer harter Arbeit mit der Wiedereröffnung des Klubhauses an der Dahme als „Villa am See" die Sanierung der Schwartzkopffsiedlung abgeschlossen. In das aus verschiedenen Gründen total verschlissene Gebäude wurden von der WiWO, der Restaurentbetreiberin und der Stadt über 7 Millionen Euro investiert. Alle Beteiligten setzten sich erfolgreich gegen viele Widerstände durch. Etwas sehr Gutes und Nachhaltiges ist entstanden. Die Erneuerung des Klubhauses symbolisierte die gesamte Schwartzkopffsiedlung – ein Schmuck-stück in und für Wildau. Die Schwartzkopffsiedlung insgesamt und speziell die „Villa am See" (ehemals das Klubhaus an der Dahme) trugen dazu bei, dass Wildau ansehnlich und wohnwert wurde. Zum Beispiel als Facharbeiter kann man inzwischen wieder nach Wildau ziehen, hier gut arbeiten und wohnen.

Gut wohnen kann man auch im Umfeld von Wildau, in den Nachbarorten. Wildau ist insofern etwas Besonderes, da jeden Tag mehrere tausend Menschen (5.700 Mitte 2018) zur Arbeit einpendeln. (Von 6.494 sozialversicherungspflichtig Beschäf-tigten insgesamt, ohne Selbständige und Beamte.) Die Stadt ist wieder ein richtiger Arbeitsstandort, wie schon vor über 100 Jahren (Lokomotivbau und chemische Industrie) bzw. wie schon zu DDR-Zeiten (Schwermaschinenbau).

Mit verdienten Wildauer Bürgern und Sportfreunden vor der Wildauer Schwimmhalle zu deren 40. Jahrestag

Mit Bernhard Welsch (mittig), früher Vorsitzender des Wildauer Ingenieurvereins, und Prof. Dr. Wilfried Arlt (rechts), Gründungsrektor der TFH

Wirtschaft, Wissenschaft, Lebensqualität

Dieser Dreiklang bestimmte mein Stadtmarketing von Anfang an. Wildau musste wirtschaftlich stark sein. Das war für mich eine Lehre aus DDR-Zeiten. Wirtschaftliche Stärke war die Grundlage, um sich zu behaupten. In Wildau kam mit der Technischen Fachhochschule (TFH Wildau) – heute Technische Hochschule (TH Wildau) – noch ein exzellenter Standortfaktor hinzu. Aufbauend auf der Tradition der früheren Ingenieurschule für Schwermaschinenbau entstand ab 1991 eine akademische Bildungseinrichtung, die mit ihrem wissenschaftlichen Innovations- und Entwicklungspotenzial sowie dem Praxisbezug in der akademischen Ausbildung ein gefragter Partner von innovativen kleinen und mittleren Unternehmen, aber auch von international tätigen Großunternehmen ist.

Die Hochschule ist eine Einrichtung des Landes Brandenburg, das inzwischen weit mehr als 100 Millionen Euro in den Standort Wildau investiert hat. Mir ist noch bekannt, dass die entsprechende Entscheidungskommission 1990 von dem erfolgreichen Gründungsrektor Prof. Arlt mit Absicht erst am späten Abend im Dunkeln nach Wildau eingeladen wurde. Die Experten sollten damals bei Tageslicht nicht sehen, wie der künftige Hochschulstandort tatsächlich noch aussah. Inzwischen ist Wildau rundherum ansehnlich, woran die TH maßgeblich beteiligt war. Zwischenzeitlich sollte die Hochschule nach Wünsdorf verlagert werden. Zum Glück für Wildau, die Region und das gesamte Land Brandenburg setzte sich am Ende doch der Standort Wildau mit seiner Berlin-Nähe (S-Bahnanschluss) durch.

Heute sind rund 3.700 Studierende in Wildau eingeschrieben. Jedes Jahr verlassen fast 1.000 frisch ausgebildete und erfolgshungrige junge Menschen die Hochschule. Das ist heutzutage besonders wichtig angesichts des verbreiteten Fachkräftemangels. Das kleine Wildau, die Region und das gesamte Land

Brandenburg profitieren davon, direkt und indirekt. Die TH ist in ihrer Hochschulstadt einer der größten Arbeitgeber, bringt Kaufkraftzuwachs und höhere Steuereinnahmen, bereichert das Kultur- und Freizeitangebot und beeinflusst nachhaltig den Städtebau. Zudem lenkt sie die Aufmerksamkeit nicht nur der Fachwelt im In- und Ausland auf die gesamte Wissenschafts- und Wirtschaftsregion am südöstlichen Stadtrand Berlins.

Blick auf die Technische Hochschule in Wildau

Mit dem ehem. Präsidenten der TFH, Prof. Dr. László Ungvári (mittig), auf der bundesdeutschen Auszeichnungsveranstaltung „Deutschland - Land der Ideen: Ausgewählter Ort"

Die enge Beziehung der Hochschule zur Wirtschaft war ein besonderes Anliegen des langjährigen TH-Präsidenten Prof. Ungvári. Ein zweites Anliegen waren für ihn die internationalen Kontakte der Hochschule. Heute ist das kleine Wildau über die Grenzen unseres Bundeslandes und auch international als Hochschulstadt bekannt und anerkannt. Studenten aus rund 60 Ländern sind in Wildau eingeschrieben, viele von ihnen wohnen auch hier. Eine große Anzahl wohnt auch im weiteren Einzugsbereich von Wildau und kommt zu den arbeitsbedingten Einpendlern noch hinzu. Das stellt besondere Anforderungen an die Infrastruktur, aber auch die Wohnheimplätze in Wildau. Diese waren zuletzt ein erbittertes Streitthema. Die GroKo-Mehrheit (die sog. Große Koalition wie auf Bundesebene) in der Stadtverordnetenversammlung war teilweise dagegen, jedenfalls an der vorgesehenen Stelle (alte Gärtnerei). Auch die Hochschule selbst war dagegen (vor allem gegen den konkreten Investor). Der entsprechende Investor ist heute noch sauer. Zu Recht!

Die Wildauer Wohnungsbaugesellschaft hat noch vor Beginn der Sanierungsarbeiten an der Schwartzkopffsiedlung einen wichtigen Beitrag zur Wildauer Lebensqualität bzw. Wohnqualität geleistet. Ich war selbst noch bei der Grundsteinlegung von fünf Stadtvillen in der Stolze-Schrey-Straße im Herbst 2001 als ihr Aufsichtsratsvorsitzender mit dabei. Im Jahr 2003 haben wir die fertigen Wohnungen übernommen und den Interessenten zur Verfügung gestellt. Leider ist die Stolze-Schrey-Straße noch immer für die Anwohner durch Verkehrslärm stark belastet. Ich hoffe auf ein schnelles Handeln der politisch Verantwortlichen. Immerhin hatten wir vor einigen Jahren in einer vergleichbaren Situation in der Birkenallee einen guten Erfolg mit einem relativ dauerhaften und preiswerten Asphaltbelag erzielt.

Dass Wildau wirtschaftlich so stark und lebenswert ist, liegt auch an seinen vielen, über den Tellerrand Schauenden. Ich denke spontan an Olaf Wernecke (BMW), Karl-Heinz Dietz (Toyota), Edmund Ahlers (AneCom AeroTest GmbH), Cord Schwartau (früher WFG, Wirtschaftsförderungsgesellschaft), Gerhard

Janßen (heute WFG), Mark Martin (früher Schmiedewerke), Simone Senst (heute Schmiedewerke und Kurbelwelle), Peter Scharf (EAW, Energieversorgungs- und Anlagenbau Wildau), Petra Damm (früher Airkom-Druckluft), Frank Röhlings (früher A10 Center), Sylvia Meißner (Villa am See), Jens Warnken (heute Airkom-Druckluft), Wilhelm Bender, Klaus-Dieter Jakob (Gewerbeverein), Bernhard Welsch (ehemals Verein der Ingenieure, Techniker und Wirtschaftler der Region Dahme-Spreewald), Peter Ganßauge und weitere.

Wildau ist so erfolgreich geworden, weil sich hier eine „kritische Masse" starker Persönlichkeiten engagiert hat. Das betrifft die Unternehmer, Gewerbetreibenden und Wissenschaftler, aber auch viele andere Tätigkeitsgruppen, von den Ehrenamtlichen im Sportverein, im Fotoclub „Schwarz Weiß", im Briefmarkenverein bis hin zum Anglerverein 1916 e.V.

Wildorado

Bereits im Frühjahr 1970 (am 22.04.) gab es zum 100. Geburtstag von W. I. Lenin die Teilfreigabe einer Sport- und Schwimmhalle in Wildau. Im Herbst 1970 folgte der Schwimmhallenteil. Es war die erste neue Sport- und Schwimmhalle im damaligen Bezirk Potsdam. Wildau kam vor Potsdam, der Bezirkshauptstadt, zum Zug. Dass Wildau so früh damit fertig wurde, verdankte die kleine Gemeinde vor allem ihrem Schwermaschinenbau. Die Werkleitung unter Fritz Reinhardt und Heinz Zeidler „klemmte" sich dahinter. Viele Sportler beteiligten sich über NAW-Arbeiten (das damalige so genannte Nationale Aufbauwerk) am Aufbau, viele Werksangehörige halfen. 2003 teilte das Land Brandenburg mit, dass Wildau für die Sanierung (und Erweiterung) der Sport- und Schwimmhalle aufgrund einer entsprechenden Studie Geld bekommen würde. Wir begannen 2003 mit der Planung und Arbeit. Bloß in einem Moment – nach einer entsprechenden Gemeindevertretersitzung 2007 – bereute ich, die Nachricht vom Land nicht in den Papierkorb befördert zu haben.

Blick auf das neue „Wildorado" in Wildau

Planung, Sanierung und Erweiterung der Sport- und Schwimmhalle waren sehr aufwendig. Rund 10 Millionen Euro wurden in diesem Abschnitt investiert, davon knapp 5 Millionen Euro vom Land und reichliche 5 Millionen Euro Eigenmittel der Gemeinde. Am Anfang des Prozesses hatten wir noch einen sehr guten Berater, Torsten Splanemann-du Chesne, heute ein ambitionierter Unternehmer und Hotelbesitzer. Doch der Berater wurde von der Gemeindevertretung abgelehnt, u. a. weil er ein „Wessi" war. Er war aber sehr erfahren mit Sport- und Freizeitanlagen, offen und ehrlich, heute als Unternehmer (u. a. mit einem großen Sauna-Betrieb) sehr erfolgreich. Er fehlte uns im Weiteren sehr. Wir schafften es trotzdem, die große Investition 2007 erfolgreich zu eröffnen, wenn auch teurer als ursprünglich geplant. Die Sport- und Schwimmhalle „Wildorado", so der neue Name, ist sehr gut geworden. Viele tausend Menschen, nicht nur Wildauer, nutzen die Halle im Jahr. Jedoch sind wiederkehrend Investitionen in die Sport- und Schwimmhalle von Nöten. Aufgrund der Kosten des Wildorados ist es gerechtfertigt, dass wir als Mittelzentrum in Funktionsteilung (mit Schönefeld) jährlich 400.000 Euro vom Land erhalten. Das Wildorado hat eine ökonomische Schwachstelle: die schöne Umgebung

Das „Wildorado" aus der Luft

von Wildau. Wenn 30 °C in der Sonne sind (oder im Schatten), geht der Wildauer nicht in eine Schwimmhalle, sondern fährt an einen der schönen Seen in der Umgebung, z. B. nach Körbis Krug, nach Neu-Kamerun. Gegen Sonne und FKK ist das Wildorado meines Erachtens machtlos. Die Sport- und Schwimmhalle während des Sommers zu schließen und die Mitarbeiter zu entlassen, ging nicht. Jedenfalls solange ich Bürgermeister war.

Gute Freunde und Mitstreiter: Heidemarie u. Gert Müller

Weitere Arbeitsschwerpunkte in den Anfangsjahren

Es ging in Wildau zu Beginn des neuen Jahrhunderts nicht nur um das Wildorado. Die Arbeitslosigkeit war noch hoch und brannte mir sehr unter den Nägeln. 2005 wurde die Arbeitslosenstatistik wieder auf Gemeindeebene veröffentlicht. Demnach hatte Wildau im Februar 2005 noch weit über 700 Arbeitslose. Es gab also gerade auf diesem Gebiet noch viel zu tun.

Zu einem doppelten Problem wurde die Eisenbahnlinie mitten durch den Ort. Der Bahnhof (Jahrgang 1900) und sein Umfeld mussten neugestaltet werden. Außerdem stand an der Bergstraße der Ersatz einer Schrankenanlage durch eine Eisenbahnüberführung an.

Die Diskussion um die Bahnhofsumgestaltung verlief lange und schwierig. Von mondän italienisch bis ganz einfach, typisch ostdeutsch, alles war dabei. Am Ende wurde ein guter Kompromiss gefunden, auch für Menschen mit Einschränkungen. Der Bahnhof kostete insgesamt 13 Millionen Euro, überwiegend von der Deutschen Bahn beigesteuert.

Bei der Eisenbahnüberführung gab es eine schnelle Lösung als Tunnelvariante, zumal die Brückenvariante aufgrund sehr tiefer und teurer Fundamente fast genauso teuer geworden wäre. Insgesamt kostete die Eisenbahnüberführung noch einmal 9 Millionen Euro. Neben der Gemeinde waren auch die Bahn, der Bund und das Land (Förderung der Gemeinde) mit im Boot (Eisenbahnkreuzungsgesetz). Gut, dass die SPD einen konstruktiven Fraktionsvorsitzenden hatte (Wilfried Hoppe), mit dem das Projekt unkompliziert angegangen werden konnte.

Außer den Bahnprojekten begann 2003 auch die Neu-Erschließung des SMB-Geländes, des ehemaligen Schwermaschinenbaus. Zuerst die Nordzufahrt, heute Schmiedestraße, zur Schmiede und Kurbelwelle. Damals hinderte uns und die Bauleute eine riesige Phenolblase, die erst beseitigt werden musste. Im selben Jahr, 2003, begann unsere planerische Beschäftigung mit dem Stichkanal. Hinzu kam in diesem Jahr auch eine kommunale Einweihung, die der Grundschulturnhalle. Etwa zeitgleich, im Herbst 2003, auch eine bedeutende private. Pflanzen-Kölle eröffnete am 29.09.2003 und stellte ungefähr 100 neue Arbeitsplätze. Der damalige stellvertretende Ministerpräsident Jörg Schönbohm kam nach Wildau.

2004 war insofern wichtig, dass ein inzwischen viel genutzter Rad- und Gehweg entlang der Miersdorfer Straße (Kreisstraße) zwischen Dorfaue und Röthegrund II von uns angelegt wurde. Zudem hatte ich in diesem Jahr noch eine schwierige personelle Aufgabe zu lösen. Mein langjähriger Bauamtsleiter Georg Fungk ging in den Ruhestand. Im Schwermaschinenbau war er ein früherer Arbeitskollege meines Vaters. Die Stellenausschreibung brachte über 200 Bewerbungen. Die sah ich alle persönlich durch und lud die Favoriten/Favoritinnen zu Bewerbungsgesprächen ein. Nachfolgerin wurde schließlich Urte Verloren. Angesichts oft schwieriger und großer Investitionen waren ihre fachkundigen (Zu-)Arbeiten für mich stets wichtige Entscheidungsgrundlagen, ob beim Wildorado, der Sanierung/Erneuerung der Schwartzkopffsiedlung, der Neugestaltung des Bahnhofsumfeldes, der Planungen für die Dahmewiesen oder bei der Aufstellung des B-Plans für die A10 Center-Erweiterung. Meine Bauamtsleiterin war immer klug dabei.

2004 hatten wir das erste Mal Gäste aus China, die wissen wollten, wie wir unsere positiven kommunalpolitischen Ergebnisse erzielen. Chinesen kamen noch öfter nach Wildau. Wenn sie da waren, musste ich immer an unseren früheren Nestor und Akademiemitglied, Prof. Hans Mottek (HfÖ), denken, der schon in den 70er Jahren des vorigen Jahrhunderts voraussah, dass China mal sehr wichtig werden würde. Leider hat damals niemand von den politisch Verantwortlichen auf ihn gehört.

In Wildau gab es Anfang des neuen Jahrhunderts in der Schwartzkopffsiedlung noch ein Schmuckstück, das Café Schwartzkopff,
wo junge Leute mit verschiedenen Einschränkungen, fit gemacht
wurden für die Gastronomie. Leider musste das Café schon relativ früh wegen Nachwuchsmangel wieder geschlossen werden.

In den ersten Jahren des neuen Jahrhunderts stand unsere Grundschule mit ihrem langjährigen Rektor, Ulrich Fischer, mehrfach im Mittelpunkt. Das ging los mit der Einweihung der ge-
neralüberholten Turnhalle im Herbst 2003. 2005 folgte der 50.
Geburtstag der Grundschule, die schon 1955 ein Vorzeigeob-
jekt war und fast immer blieb. Jetzt kam noch eine zukunftswei-
sende Flex-Klasse hinzu, in der Schüler im besten Fall die ersten drei Schuljahre innerhalb eines Jahres schafften. Aber auch
für die anderen Schüler war gesorgt. Auch die TFH kümmer-
te sich um die Schulausbildung im Grundschulalter, und zwar
mit einer Kinderuniversität, neben dem Seniorenseminar. Somit
konnte der Bildungshunger vieler Altersgruppen gestillt werden.

Aus unserer Realschule wurde 2005 eine Oberschule. Das war
vor allem für die Wildauer Schüler ab der 7. Klasse wichtig. Sie
hatten jetzt Vorrang vor Kindern von auswärts. Außerdem erhielt die Schule den Namen „Ludwig Witthöft". Dieser leite-
te ab 1898 den Neubau der Lokomotivfabrik einschließlich der
für die damalige Zeit sehr modernen „Wohnkolonie" (heute
Schwartzkopffsiedlung) und kann daher als Begründer des heu-
tigen Wildau gelten. Die Schule konnte durch anhaltend gute
Arbeit bei Schülern und Eltern ihren Ruf festigen.

Seit dem Frühjahr 2005 erinnert ein Gedenkstein im Umfeld der
neuen Sport- und Schwimmhalle der vielen tausend Zwangsar-
beiter, die im Zweiten Weltkrieg in Wildauer Industriebetrie-
ben ausgebeutet wurden. In elf Lagern waren Menschen aus
Polen, Frankreich, Belgien, Holland, der Tschechoslowakei,
Italien, Spanien und der Sowjetunion inhaftiert. Einige Über-
lebende konnten wir zu der offiziellen Einweihung des Denkmals persönlich begrüßen. Mit den damaligen Zwangsarbeitern

in Verbindung steht auch die so genannte Westhangtreppe. Ihr Vorläufer wurde extra während des Krieges angelegt, um den vielen Zwangsarbeitern einen relativ „kurzen" Weg zur Arbeit zu ermöglichen. Nach der Wende wurde diese Treppe wegen Bauschäden gesperrt (vorher nur für Betriebsangehörige benutzbar). Sie konnte schließlich erneuert und 2006 der Wildauer Bevölkerung als wichtige innerörtliche Fußgängerverbindung zur Verfügung gestellt werden.

2005/2006 gab es noch weitere Einweihungen in Wildau, so des Rad- und Gehweges in der Miersdorfer Straße, der Wagnerstraße, der Anliegerstraßen südöstlich vom Seniorenheim (Uhlandstraße, Fichtestraße, Maxim-Gorki-Straße, Brückmannstraße), der Netzergänzung L30/L40 (wichtig auch für Wildau). Es gab Ende 2005 ein wichtiges Richtfest in der Halle 10 im SMB-Gelände, dem Standort der zukünftigen berühmten Bibliothek der Technischen Fachhochschule. Bedeutsam war, dass sich mit „Bauhaus" ein führendes Baumarktunternehmen im Wildauer A10 Center auf großer Fläche (16.500 qm) niederließ. Bekannt für den Slogan „Wenn's gut werden muss". Von besonderer Bedeutung war auch der weitere Aufstieg der Airkom-Druckluft GmbH. Ihre Geschäftsführerin wurde im Land Brandenburg als Unternehmerin des Jahres ausgezeichnet. Leider ist Petra Damm frühzeitig gestorben. Sie wird Wildau immer in Erinnerung bleiben. Schließlich hat sie ihre berufliche Entwicklung hier begonnen, als Maschinenbauerin mit Abitur. Wildau hat eine Straße nach ihr benannt.

Wichtig für mich war auch die Eröffnung eines Friseursalons am 1. Oktober 2005. Immerhin wurde dessen Chefin Valerie Richel meine Ehefrau. Wohlmeinende Freunde sagten uns, dass wir schon beim ersten Zusammentreffen aussahen, als ob wir schon lange zusammen wären. Wirklich alt war im Jahr 2006 unser Volkshaus, unser neues Rathaus. Es wurde in diesem Jahr 100 Jahre alt, noch erbaut von Ludwig Witthöft. 2006 gab es noch eine wichtige Feier in Wildau, das Schwartzkopff-Familientreffen, zum Gedenken an den richtungsweisenden Industriellen Louis

Schwartzkopff, der zwar nie in Wildau war, aber ein wichtiger Namenspatron für Wildau wurde (Schwartzkopffsiedlung). Richtung Zukunft von Wildau wies schließlich im Dezember 2005 der Fördermittelbescheid für die Schwimmhalle.

Im darauffolgenden Jahr wurde Wildau als die sportlichste Gemeinde des Landes Brandenburg ausgezeichnet (02.06.2006), obwohl die Sport- und Schwimmhalle noch gar nicht fertig war, aber der Bau (ca. 80 m Riesenrutsche) wies schon in die Zukunft. Die Grundschul-Fußballer belegten unter Leitung ihres Rektors Ulrich Fischer in einem bundesweiten Wettbewerb einen beachtlichen 15. Platz.

Ich erinnere mich noch, dass ich schon frühzeitig auf die demografische Krise und den kommenden Arbeitskräftenotstand hingewiesen habe. Meist erntete ich ein überlegenes Lächeln, vor allem von Leuten, die glaubten, selbst niemals älter zu werden. Die Begriffe demografische Krise und Pflegenotstand sollten gar nicht mehr benutzt werden. Damit hatten die Zuständigen die Themen vom Tisch.

Aber gerade der Einbruch der Geburten in der ersten Hälfte der 90er Jahre war erheblich. Der zukünftige Nachwuchsmangel war lange vorauszusehen. Ebenso der Mangel an zukünftigen Müttern (was eine fortwährende Reproduktion der demografischen Krise bedingte).

Auf der ILA Berlin 2014 mit meiner damaligen PR-Medien-Mitarbeiterin Katja Lützelberger (links) und Xenia Marz (rechts) aus der Partnergemeinde **Taufkirchen**

Mit dem damaligen Vorsitzenden der Gemeindevertretung Wildau, Dr. Peter Mittelstädt (links), und dem ehem. Präsidenten der TFH, Prof. Dr. László Ungvári (rechts), in der ungarischen Botschaft 2011

Höhepunkte 2007 bis 2009

Das Jahr 2007 begann (am 26. März) mit einer großen Ehre und Auszeichnung für Wildau. Die Gemeinde Wildau und ihre beiden Partner, die Technische Fachhochschule und die Wildauer Wohnungsbaugesellschaft, erhielten in dem Wettbewerb „Deutschland – Land der Ideen" unter der Schirmherrschaft des damaligen Bundespräsidenten Horst Köhler gemeinsam den Titel "Ausgewählter Ort im Land der Ideen". Natürlich stand der neue Campus der TFH im Mittelpunkt. Die Gemeinde und die WiWO hatten dessen ansprechendes Entree mitgestaltet (Bahnhofsumfeld, Schwartzkopffsiedlung). Der Campus hatte mittlerweile innerhalb Europas einen hohen Bekanntheitsgrad erreicht. Und das in dem kleinen Wildau!

Der alte TFH-Standort in Wildau

Die Entwicklung des TFH-Campus war damit noch lange nicht abgeschlossen. 2007 jedoch kam es zu einer wichtigen Zäsur: Die Halle 10 (Hochschulbibliothek und Mensa) und die Halle 14 (Hörsäle und Seminarräume, Labore, Arbeitsräume für Professor/innen) auf dem südlichen Teil des früheren SMB-Geländes wurden nach denkmalgerechter Sanierung und Umbau als Hochschulgebäude übergeben. Damit konnte der „alte" Campusteil an der Friedrich-Engels-Straße geschlossen und einer neuen Nutzung zugeführt werden.

2007 ging es auch mit den anderen Bereichen des SMB-Geländes voran. Die Ludwig-Witthöft-Straße wurde ausgebaut, die damalige Lufthansa-Tochter TRAINICO kam nach Wildau (u. a. SMB). Die AneCom AeroTest GmbH im Zentrum für Luft- und Raumfahrt expandierte weiter. Der Marktplatz (Nähe Bahnhof) wurde eingeweiht. Die Brücke zwischen dem Lutra-Nordhafen und dem Südhafen, zwischen Wildau und Königs Wusterhausen, wurde eingeweiht. Das A10 Center hatte inzwischen 1.300 Arbeitsplätze. Hinzu kam ein großer Erfolg sportlicher und investiver Natur. Am 01.09.2007 gab es die offizielle Einweihung des Wildorados, der erneuerten und erweiterten Sport- und Schwimmhalle in Wildau. Ein Riesen-Durchbruch war geschafft.

Wildau bemüht sich schon lange um einen stabilen Kompromiss zwischen Globalisierung, internationalen Kontakten und Heimatverbundenheit. Schon zu DDR-Zeiten hatte der Wildauer Schwermaschinenbau in insgesamt 36 Länder der Erde exportiert. Gleichzeitig lebten die Wildauer Arbeitskräfte in einer Umgebung, die lange als Urlaubsparadies galt (Berlin im Nordwesten, das Dahme-Seengebiet im Osten, der Spreewald im Süden). Globalisierung, Offenheit für internationale Kontakte auf der einen Seite und Heimatverbundenheit auf der anderen Seite machen Wildau auch heute aus. Hoffentlich wechseln vor allem unsere jungen Männer in den nächsten Jahren nicht in Größenordnungen in den anderen, in Deutschland vorhandenen und sehr umstrittenen Kulturkreis ab. Glücklicherweise stellen das

Verbot von Schweinefleisch und – das wiegt für einen Großteil der jungen Männer sicher schwerer! – Alkohol eine große Hürde für solch einen Wechsel dar. Früher, in meiner Jugend, hatte ich den Übergang der jungen muslimischen Frauen zu uns, egal ob Ost oder West, erwartet. Wildau und Umgebung jedenfalls waren und sind für das tägliche Leben attraktiv.

Die Teilnahme an der ILA 2008 (Internationale Luft- und Raumfahrtaustellung Berlin) brachte die Doppelgesichtigkeit von Wildau – internationale Kontakte und Heimatverbundenheit – gut zum Ausdruck. 2008 ist insofern noch interessant, weil ein wichtiger Einkaufsmarkt in Wildau eröffnete (REWE). Der Ausbildungsmarkt in Wildau wurde durch die Ansiedlung der ZAL, einem Betrieb zur industriellen Fort- und Weiterbildung, gestärkt. Außerdem kam eine neue, sehr sympathische Pfarrerin nach Wildau und in den Nachbarort Zeuthen, die es verstand Kirche, Kultur und Menschen zusammenzubringen: Frau Cornelia Mix.

Am 24.09.2008 erhielt Wildau hohen Besuch: Hans Modrow kam in die Stadt, unter anderem um über die Wende zu berichten. Es ging aber auch investiv in Wildau weiter. Am 18. Juli wurde die sogenannte Querstraße im SMB-Gelände (heute Teil vom Hochschulring) für den Verkehr freigegeben. Einen Tag vorher gab es das Richtfest für die Kita am Markt. Immerhin ein Erweiterungsbau, der über 1 Million Euro kostete. Zum Glück gab es dafür über 600.000 Euro Fördermittel vom Bund. 2008 gab es noch weitere Gründe, in Wildau groß zu feiern: Das Wildauer Umspannwerk wurde 85 Jahre alt, eine traditionell wichtige Grundlage für die Ansiedlung von Unternehmen mit hohen Stromverbräuchen. Zudem wurden die älteren Männer (ü. 59) des 1. VC Wildau im Volleyball Deutscher Meister. Ein Riesen-Ergebnis!

2009 war ein Jahr mit Höhen und Tiefen, letztere insbesondere bezüglich meiner persönlichen Gesundheit. Der große Erweiterungsbau der Kita am Markt wurde abgeschlossen (06.03.2009).

Das berühmte Wildauer Zupfmusikantenorchester (gegründet 1951 von Herbert Müller) erhielt eine neue, hoch renommierte Orchesterleiterin (Sophie Timmermann).

Ich kann mich noch erinnern, dass ich im März 2009 mit Frau und Freunden zum Ski-Urlaub in Süd-Tirol war. Zum Glück hatte ich in Kindheits- und Jugendtagen in Wildau, in den Lausebergen, Ski fahren gelernt. Auch dort gab es steile und gefährliche Abfahrten. Auf den langen Abfahrten von Süd-Tirol fuhr ich wie im Rausch (flow) und freute mich auf den kommenden Cappucino.

Die Region hat eine schwierige Geschichte. Im Gefolge des ersten Weltkrieges kam Süd-Tirol aus den Trümmern der Habsburger Monarchie zu Italien. Italien wollte das unbedingt und hat deshalb an der Seite von Frankreich und England gegen Österreich-Ungarn und Deutschland am ersten Weltkrieg teilgenommen. Mit dem Ergebnis der Einverleibung von Süd-Tirol, ohne die einheimische (deutsche) Bevölkerung zu fragen. Heute ist Süd-Tirol, nach meiner Einschätzung, mit massiver europäischer Hilfe (Fördermittel) eine gute Verknüpfung von italienischem Charme und deutscher Wesensart gelungen. Süd-Tirol ist – im doppelten Sinne, natürlich und ökonomisch – eine blühende Landschaft. Das soll(te) Wildau auch werden.

Auf der Grundlage des neuen Brandenburgischen Hochschulgesetzes beschloss der Senat der TFH Wildau am 11. Mai 2009 die Umbenennung der Technischen Fachhochschule Wildau in „Technische Hochschule Wildau". Damit wurde im Namen direkt Bezug auf eine lange Tradition der höheren technischen Bildung im deutschsprachigen Raum genommen – ein weiterer Trumpf für Wildau im sich intensivierenden Standortwettbewerb.

Die Investitionen liefen in Wildau auch 2009 weiter. Am 27. Mai 2009 war der Baubeginn der SMB-Südzufahrt (heute Hochschulring), am 04.12.2009 war das Richtfest unseres neuen Feuerwehrdepots, eine große und wichtige Investition der Gemeinde (zwei Millionen Euro). 2009 war aber auch das Jahr der weltweiten Finanz- und Wirtschaftskrise. In Wildau geriet das A10 Center ins Wanken, an dem inzwischen 1.700 Arbeitsplätze hingen. Eine internationale Kapitalgruppe, bestehend u.a. aus Engländern und Indern, sollte es übernehmen. Das wurde nichts. Im Ergebnis eines geregelten Insolvenzverfahrens übernahm ein solider Geldgeber, die Otto-Gruppe, das A10 Center. Dessen Ausbau wurde fortgesetzt, die 1.700 Arbeitsplätze des Centers und seiner rund 200 Geschäfte waren gerettet.

Ich hatte manche schlaflose Nacht, und mein Gesundheitszustand litt zusehends. Statt die Warnsignale ernst zu nehmen, sah ich nur meine beruflichen Verpflichtungen. Am 04. Juli 2009 war es zu spät, ich bekam einen Schlaganfall. Ein Krankenhausaufenthalt und eine lange Reha folgten. Am 26. September 2009 erhielt ich einen kurzen Urlaub, um am Richtfest des Zentrums für Luft- und Raumfahrt III teilzunehmen. Der brandenburgische Ministerpräsident Matthias Platzeck und die damalige Landesministerin Prof. Johanna Wanka waren anwesend. Ich sollte auch reden. Mein Weg zum Rednerpult war sehr beschwerlich. Am Pult ging es. Ich warb aus Wildauer Sicht für die regionalen Wachstumskerne und für ein perspektivisches Zusammengehen der beiden roten Parteien in Brandenburg. Beide schwächeln allerdings heute, jedenfalls aus Sicht ihrer Wähler. Damals standen wir gerade vor einem Aufbruch.

Anfang November 2009 kam ich aus der Reha und zog nach Königs Wusterhausen um, natürlich gemeinsam mit meiner Frau. In Wildau hatten wir keine geeignete Wohnung gefunden. Ich begann noch 2009 inoffiziell wieder mit der Arbeit für Wildau.

Grundsteinlegung zur Erweiterung des A10 Centers in Wildau, u. a. mit dem brandenburgischen Minister Junghans (mittig), Bundestagsabgeordneten Prof. Dr. Danckert (2. von rechts) sowie dem stellvertretenden Landrat Karl-Heinz Klinkmüller (3. von links)

Hochformatiger Blick auf den Kern von Wildau mit Bahnhof, TH und Westhangtreppe

Schwierigkeiten beim weiteren Aufstieg von Wildau

2010 war ein kompliziertes und doch erfolgreiches Jahr für Wildau. Das betraf zunächst meinen gesundheitlichen Zustand. Ich trat Anfang Januar meinen Dienst wieder offiziell an, zunächst noch für längere Zeit nach dem Hamburger Modell (= System zur stufenweisen Wiedereingliederung in den Arbeitsalltag nach schwerer Erkrankung).

Schwierig waren in Wildau 2010 die Diskussionen um die Verkehrsbelastung im Fliederweg, um die Verkabelung der 110.000-Volt-Freileitung in Wildau und um die Sporthalle im ehemaligen TFH-Gelände in der Friedrich-Engels-Straße. Der Fliederweg war und ist bei den Wildauer Autofahrern sehr beliebt. Das bedeutete natürlich für die Anwohner vor allem nachts eine erhebliche Lärmbelastung. Nach langer Diskussion wurde ein für beide Seiten vertretbarer Kompromiss gefunden, eine drastische Geschwindigkeitsreduzierung auf 20 km/h.

Die Freileitungs-Verkabelung war sehr teuer. Eon.edis war interessiert. Aber die Gemeinde musste sich für die Stadtansichts-Verbesserung und die positiven gesundheitlichen Effekte für die Bürger in Wildau mit einer hohen Summe (1,8 Millionen Euro) beteiligen. Das war kommunalpolitisch höchst umstritten. Inzwischen ist schon wieder relativ viel Geld an die Gemeinde zurückgeflossen, von diversen Unternehmen der Region für die „Landschaftsverbesserung" in Wildau, die den Unternehmen als ökologischer Vorteil bei Investitionen angerechnet wird (ökologische Kompensation). Die BADC (Berlin-Brandenburg Area Development Company GmbH) spielte dabei als Vermittler eine wichtige Rolle.

Das ehemalige TFH-Gelände in der Friedrich-Engels-Straße wurde vom Land an die Gemeinde Wildau verkauft, mit der Sporthalle. Diese wollte die Hochschule aber unbeschränkt weiter nutzen. Doch Wildau hatte selbst erheblichen Bedarf an

Sportkapazitäten. Der Streit war vorprogrammiert. Der neue Eigentümer saß allerdings am „längeren Hebel" und die Hochschule musste sich als Interessent hinten anstellen.

Kompliziert und mit wachsender Schärfe entwickelte sich die Diskussion um die Altanschließerproblematik im Bereich des Märkischen Abwasser- und Wasserverbandes (MAWV). Der MAWV brauchte das Geld für seine Investitionen und wollte zugleich die Gebühren niedrig halten (beschlossen Mitte der 90er Jahre, noch vor meiner Amtszeit). Ursprünglich sollten vom MAWV nur die „Neuanschließer" mit Beiträgen zur Kasse gebeten werden. Aber das Oberverwaltungsgericht des Landes Brandenburg machte einen Strich durch die Rechnung (Gleichbehandlungsgrundsatz!) und verlangte, dass auch die Altanschließer ihren Anteil beitragen müssten. Die wollten aber nicht und brachten die unterschiedlichsten Argumente gegen ihre Beteiligung vor (Überraschung, Vertrauensschutz, Zahlung der Urgroßeltern 1913, Gebühren). Die großen Erweiterungsinvestitionen der 90er Jahre (z. B. ZEWS-Abwasser) müssen aber bezahlt werden. Es bleibt abzuwarten, ob – wie vom MAWV vorgesehen – die Altanschließer mit der Gebühren-Schraube ihren besonderen Beitrag zahlen müssen. Deutlich wurde, dass es bei der Altanschließerproblematik eine große kommunalpolitische Nähe von links bis Mitte, von der Linken bis zur CDU, gegeben hat. Das lag an dem großen politischen Einfluss der Grundstückseigentümer in allen diesen Parteien.

2010 gab es noch eine weitere schwierige Diskussion. Es ging um die Flugrouten vom künftigen Großflughafen BER (Flughafen Berlin Brandenburg). Auch Wildau wird tangiert von einer Abflugroute zwischen Königs Wusterhausen und Wildau, entlang der Autobahn nach Osten. Wie groß die Lärmbelästigung für die Stadt tatsächlich sein wird, ist heute noch Spekulation. Argumente von außen spielten für die zuständige Behörde jedenfalls nur sehr bedingt eine Rolle.

Wichtige Investitionen wurden 2010 in Wildau zum Abschluss gebracht. Von besonderer Bedeutung war die Freigabe der

Süd-Anbindung (heute Hochschulring) am 21.08.2010, der Anbindung des SMB-Geländes an die Bergstraße und damit Richtung Königs Wusterhausen und Autobahn. Auch die Ansiedlung der Fraunhofer-Einrichtung für Polymermaterialen und Composite (PYCO), (heute Bereich des IAP Fraunhofer-Instituts für Angewandte Polymerforschung Potsdam), am 01.10.2010 war von großer Bedeutung. Ebenso die Einweihung des neuen Feuerwehrdepots am 22.10.2010. Bedeutsam waren für Wildau auch die Verkehrsfreigaben des Kreisverkehrs bei Lidl und der Straße am Friedhof am 17.05.2010 sowie des Knotens Bergstraße/Dorfaue am 13.08.2010. Sehr wichtig waren noch zwei erste Spatenstiche, der für die L 401 (Karl-Marx-Straße) am 15.09.2010 und der für Volvo am 26.11.2010. In dem Jahr kam auch eine Delegation aus Vietnam nach Wildau (08.09.). Ich hoffe, sie hat wertvolle Erfahrungen aus Wildau mitgenommen. Wir empfanden den Besuch als sehr lehrreich, auch für uns.

Generell ist zu sagen, dass die kommunalen Investitionen sehr wichtig für die örtliche Standortqualität und Wettbewerbsfähigkeit sind. Nur Investitionen „in die Köpfe" reichen für die wirtschaftliche Stärkung nicht aus. Auch die technische und die soziale Infrastruktur muss entwickelt werden.

Im Februar 2010 nahm noch eine bedeutende Entwicklung für Wildau ihren Anfang. Die Gemeinde erwarb das heruntergekommene Klubhaus an der Dahme in einer Zwangsversteigerung für 500.000 Euro. Im Jahr 2010 gab es in der schon lange sehr sportlichen Gemeinde Wildau mehrere große Jubiläen: 100 Jahre Fußball, 60 Jahre Motor Wildau, 60 Jahre Handball, 40 Jahre Sport- und Schwimmhalle, 40 Jahre 1. Volleyballclub Wildau, begangen jeweils mit großen Feierlichkeiten.

Im Sommer 2010 fuhren meine Frau und ich zum Urlaub in die Lüneburger Heide, unter anderem um Rolf Schwartzkopff, den ehemaligen Vorsitzenden des Schwartzkopff'schen Familienverbandes, zu treffen und uns über die sehr positiven Entwicklungen in Wildau zu unterhalten.

Mit meiner Mutter, Anneliese Malich, vor dem Schloß Königs Wusterhausen

Meine Kinder Juliane und Maximilian sowie meine „Bonustochter" Melanie (mittig)

Weiterer Aufschwung – trotz schweren Unfalls

Ende 2010 gab es sehr viel Schnee in Wildau. An Silvester kam noch Blitzeis hinzu. Die beauftragten Winterdienstfirmen waren überfordert, vor allem bezüglich der Nebenstraßen (etwa wegen Krankheit ihrer Mitarbeiter). Ich fuhr an Silvester los, um meine Mutter zum Mittagessen abzuholen. Das Fahren ging gerade so. Aber das Laufen der letzten Schritte zum Aufgang war bei Blitzeis hochgefährlich. Ich stürzte vor der Teichstraße 9, meinem Geburtshaus, und brach mir den Oberschenkelhals. Der Knochen hatte vorher schon in der Reha Schaden bei einem Sturz genommen. Die zuständigen Ärzte sahen in der Röntgenaufnahme nichts. Ein MRT war nicht möglich. So blieb nur mein „komisches Gefühl" im Bein.

Nach dem Unfall wurde ich am nächsten Tag operiert (TEP, Totalendoprothese). Danach hatte ich noch mehrere Tage Schmerzen, erholte mich aber relativ schnell und begann schon mit ersten Arbeiten vom Krankenbett aus.

Wir hatten damals eine komplizierte Entscheidung zu treffen. Es ging um eine mögliche Kapitalerhöhung unserer Seniorenheim GmbH. Die Gesellschaft brauchte Geld. Der Haupt-Gesellschafter wollte, ich auch! Aber gerade Teile meiner eigenen Fraktion stellten sich quer. Die Gründe habe ich bis heute nicht verstanden. Als ich davon von meinem zuständigen Abteilungsleiter auf meinem Krankenbett erfuhr, hat es mich regelrecht umgehauen. Ich erlitt noch einmal einen Schlaganfall. Jetzt war vor allem mein Sprachvermögen betroffen, und ich konnte mich nicht mehr richtig ausdrücken. Ich kam in eine Stroke Unit (Klinikum Teupitz) und später wieder in eine neurologische Reha.

Logopädie war jetzt ein Hauptthema in der Reha. Loriot wurde mir ein wichtiger Helfer, um wieder sprechen zu können. Und es ging voran – Schritt für Schritt.

Eine Nagelprobe hatte ich am 06.04.2011. Die Reha war zu Ende, und die Wiedereröffnung des erweiterten und neugestalteten A10 Centers mit seinen mittlerweile 1.700 Arbeitsplätzen und fast 200 Geschäften stand an. Ich sollte auch eine Rede halten (einigermaßen, würde ich rückblickend sagen). Anwesende, auch meine Frau Valerie, waren begeistert. Für ganz Wildau und für mich persönlich war das ein Tag der Freude.

Blick in die neue Triangel des A10 Centers in Wildau

Ich war im Frühjahr 2011 noch krankgeschrieben, hatte also genügend Zeit für Physiotherapie, Ergotherapie und EMS (Elektrische Muskelstimulation) und konnte schon punktuell an der einen oder anderen Stelle für Wildau mithelfen.

Am 30.05. feierte ich Geburtstag und heiratete meine Valerie. Von dem Zweiten, der Heirat, wussten die meisten Gäste zunächst nichts. Sie wurden überrascht. Die Heirat war etwas besonders Wichtiges, zumal meine „Attraktivität" gesundheitsbedingt eingeschränkt war. Dachte ich zumindest.

Mit meiner Frau Valerie

Meine Frau hat an dem Tag trotzdem „Ja" gesagt. Ich war überglücklich.

Übrigens wurde anlässlich der Feierlichkeiten die neue Internet-Homepage von Wildau erstmalig in Grundzügen vorgestellt. Sie ging zum Jahreswechsel 2011/12 online.

Anfang Juli des Jahres übernahm ich wieder offiziell meine Dienstgeschäfte. Weniger erfreulich war die Diskussion der Flugrouten des künftigen BER.

2011 begann auch eine Prüfung des Landes und die Diskussion mit uns, ob wir die Bezeichnung „Stadt" erhalten können würden. Die Grundlagen für unseren Antrag hatte eine partei- und fraktionsübergreifende Arbeitsgruppe unter Leitung des damaligen Vorsitzenden der Gemeindevertreterversammlung Dr. Peter Mittelstädt, in der auch TH-Präsident Prof. László Ungvári und Frank Kerber, WiWO, sowie TH-Sprecher Bernd Schlütter maßgeblich mitwirkten, über viele Monate ehrenamtlich vorbereitet. Die Prüfung war umfangreich und dauerte lange, war aber letztlich für uns sehr erfolgreich.

Zwei wichtige Investitionen wurden 2011 zu einem guten Abschluss gebracht. Einmal die Volvo-Niederlassung (offizielle Eröffnung am 23.09.2011) für das Vertriebsgebiet Ostdeutschland. Und zum anderen das Zentrum für Luft- und Raumfahrt III (ZLR) am 29.11.2011 (offizielle Eröffnung). Außerdem wurde im November 2011 im Volkshaus Wildau im großen Saal ein Mongolei-Abend durchgeführt und wir empfingen in dem Monat auch eine israelische, jüdisch-palästinensische Delegation an unserer ZAK (der Zeuthener Akademie, eine Weiterbildungseinrichtung mit Sitz in Wildau). Die Palästinenser erlernten mit jüdischer Hilfe einen Beruf und hatten dadurch eine Perspektive in Israel. Natürlich stimulierten wir unsere israelischen Gäste, ihren beeindruckenden Weg der beruflichen Ausbildung palästinensischer Jugendlicher weiterzugehen.

Im Herbst 2011 begründete ich eine Gesprächsreihe[4] mit Prominenten in Wildau. Im lockeren Talk sollte für die Zuhörer/innen etwas Nützliches dabei herauskommen. Meine ersten beiden Prominenten waren die frühere Eiskunstlauf-Weltmeisterin Christine Stüber-Errath (26.09.2011) und der Bundestagsabgeordnete Gregor Gysi (08.12.2011), damals noch Fraktionsvorsitzender seiner Partei, der Linken. Beide Veranstaltungen waren Volltreffer!

Im Jahr 2012 wurden viele mögliche und zukünftige Entwicklungen zum Teil heiß diskutiert. Unter anderem ging es wieder – bis zu einem Gerichtstermin (OVG) – um die Flugroute 5 zwischen Königs Wusterhausen und Wildau, ferner um die Altanschließer (ihre Beiträge) und um die Kapitalerhöhung bei der Seniorenheim GmbH (für die Gemeinde real in fünf Schritten). Gestritten wurde um zwei Bauprojekte in der Kochstraße und im Pirschgang (noch immer eine große Bauruine), Themen waren auch die ILA und der Stichkanal, ferner die Zukunft des Pumpenhauses (damals der Schmiedewerke) und die Einführung der Doppik (neues Rechnungswesen in der öffentlichen Verwaltung).

Es wurde in Wildau aber nicht nur geredet, sondern auch gehandelt. Wichtig war die Begutachtung und Anschaffung eines großen, modernen Hub-Rettungsfahrzeuges durch unsere Feuerwehr, die Eröffnung und Freigabe der Freiheitstraße (Millionen-Investition), die Fertigstellung der 110-KV-Leitung unter der Erde (31.08.2012) und die Hafenanbindung an die Netzverknüpfung L30/L40. Eröffnet wurden auch unsere auf dem Aldi-Standort neugebaute Gemeindebibliothek (06.10.2012) und ein heute sehr beliebtes italienisches Restaurant im Hückelhover Ring.

Zu Gast waren bei mir ein wichtiger griechischer Professor (Prof. Sakellaropoulos), Landrat Stephan Loge, Gesundheits- und Umweltministerin Anita Tack und der damalige Bundestagsabgeordnete Prof. Dr. Peter Danckert. Zu Gast in Wildau waren 2012 auch zwei Bundes-Parteivorsitzende, die unterschiedliche Gastgeber hatten, aber jeweils sehr gute Veranstaltungen machten: Bernd Riexinger (18.10.2012, Die Linke) und Sigmar Gabriel (06.11.2012, SPD).

Bedeutsam waren auch die Eröffnung einer privaten Grundschule in Wildau (26.12.2012, durch die Villa Elisabeth, Ehepaar von Platen) und mein Empfang am 27.10.2012 im Wildorado anlässlich der Erneuerung des großen Schwimmbeckens in unserer Schwimmhalle (Edelstahlbecken, 2011/2012).

Hinzu kamen wichtige Jubiläen. So feierten wir 2011 60 Jahre Zupfmusikanten-Orchester, den 20. Jahrestag unseres Gesundheitszentrums (früher Poliklinik) sowie 20 Jahre Technische Hochschule. Aus diesem Anlass initiierte die TH die neue Veranstaltungsreihe „Mit Spitzenpolitikern im Gespräch". Gäste waren u. a. der heutige Bundespräsident Frank-Walter Steinmeier, Bundesfinanzminister a.D. Peer Steinbrück, Bundespräsident a.D. Horst Köhler sowie der damalige Fraktionsvorsitzende der Linken im Deutschen Bundestag Gregor Gysi und SPD-Chef Sigmar Gabriel, die jeweils stark beachtete Reden hielten. Im September 2012 begingen wir gemeinsam mit allen Bürgern Wildaus und mit einem großen Aufwand den 90. Jahrestag der

Gründung der Gemeinde Wildau (davor Gemeinde Hoherlehme). Und schließlich wurde 2012 der Wildauer Briefmarkenverein 60 Jahre alt.

Im selben Jahr wurde die Sanierung des Hauses der Jugend und Vereine in der Eichstraße abgeschlossen. 2011 erhielten die Schmiedewerke und die Wildauer Kurbelwelle für ihre Qualitätsarbeit und ihre Liefertreue eine begehrte Auszeichnung der weltweiten Firma Caterpillar.

Der sanierte Jugendclub in der Eichstraße

Im Jahr 2012 kamen zwei interessante Firmen nach Wildau. TRAINICO bezog einen großen Campus auf dem ehemaligen TFH-Gelände in der Friedrich-Engels-Straße (Haus 2). Das tbz, ein namhafter Weiterbildner, kam ebenso nach Wildau.

Auch das Jahr 2013 war erfolgreich für Wildau. Ich kann mich noch erinnern, dass ab 2013 auf relativ breiter Front über den Fachkräftemangel und insbesondere den Nachwuchsmangel diskutiert wurde. Die Stärkung der eigenen Ausbildungsanstrengungen war eine Antwort darauf, ebenso die Berlin-Nähe als Arbeitskräftequelle. Und ich verwies die Unternehmen immer auf die Bezahlung. Die musste ausreichend und fair sein. Die „Ost-Zeiten" waren diesbezüglich vorbei.

Ein weiteres, für uns notwendiges Thema war die so genannte City-Streife. Wir als Gemeinde buchten ein privates Sicherheitsunternehmen, finanziert durch private Unternehmen, das in Wildau Streife fuhr, gegen Vandalismus und Rowdytum vorging, um die Polizei bei ihrem Kampf um Sicherheit und Ordnung zu unterstützen. Wir erzielten dabei messbare Erfolge. Die Kriminalität ging spürbar zurück.

Ein vieldiskutiertes Thema war natürlich das Klubhaus an der Dahme. Wir als Gemeinde gaben das Gebäude weiter an unsere Tochtergesellschaft WiWO mit der Aufgabe, das heruntergekommene Haus zu sanieren und wieder der Öffentlichkeit zugänglich zu machen. WiWO, Restaurant-Betreiberin Silvia Meißner und Stadt (näheres Umfeld) machten sich an das anspruchsvolle Werk und schafften etwas Besonderes mit Ausstrahlung weit über Wildau hinaus, die Villa am See mit Wasserwander-Liegeplatz.

Darüber hinaus gab es noch einen anderen langwierigen, am Ende für uns erfolgreichen Rechtsstreit mit dem Landkreis um einen Großbrand im SMB-Gelände im Mai 2011. Wer war zuständig für die Brandbekämpfung? Die Feuerwehr der Gemeinde machte es. War sie angesichts der Größe des Feuers überhaupt zuständig? Das letzte Wort hatte – lange nach dem Brand – das Gericht. Wir obsiegten. Unsere gute Feuerwehr-Zusammenarbeit mit dem Landkreis litt darunter nicht.

Lange und leider nur mit mäßigem Erfolg wurde über die Sanierung des Denkmals für die Opfer des Ersten Weltkriegs auf unserem Friedhof diskutiert. Dieser sinnlose imperialistische Krieg hatte auch in Wildau viele Opfer gefordert. Auch die Wildauer Familien gedachten früher dem Blutzoll 1914–1918. Jetzt gab es nur eine billige Lösung, die nicht der großen Bedeutung des damaligen Krieges angemessen scheint. Am 08. Mai 2013 gab es, wie jedes Jahr, eine Gedenkrede von mir an dem sowjetischen Ehrenmal anlässlich der Befreiung Wildaus am 25.04.1945. Die GroKo boykottierte weitgehend diese Veranstaltung.

Ende März besuchte der damalige brandenburgische Wirtschaftsminister Ralf Christoffers (27.03.2013) die Wildauer Schmiedewerke und die Kurbelwelle, die bis nach Japan ihre Kunden fanden.

Der zuständige Staatssekretär und der Landrat Stephan Loge (rechts) übergeben mir die Urkunde des Landes zur Stadt-Bezeichnung für Wildau

Ende März war auch deshalb für Wildau wichtig, weil die Gemeinde vom Land die Bezeichnung „Stadt" erhielt. Für Wildau änderte sich nichts, nur die Bezeichnung. Im April (17.04.2013) kam der zuständige Staatssekretär und überbrachte uns die entsprechende Urkunde.

Ende April wurden wir im selben Jahr ein Opfer des Internets. Wir (WiWO und Stadt) wollten für die Wildauer die Walpurgisnacht veranstalten. Leider ging das per Internet unter den Jugendlichen von Berlin und Brandenburg „rum" wie ein Lauffeuer. Unsere Walpurgisnacht wurde eine erste Adresse für die

Jugendlichen, um das „Saufen bis zum Abwinken", manchmal bis zum Koma, zu probieren.

Aus Sicherheitsgründen musste die Walpurgisnacht schließlich nach noch mehreren Versuchen abgesagt werden. Auch das kommunale Krisenmanagement stand heftig zur Diskussion. Zum Glück gab es keine schwerwiegende Krise, aber sehr viel laufende Arbeit.

Mehrfach diskutiert wurde auch über eine neue Küche der Seniorenheim Wildau GmbH. Ohne die ästhetischen und logistischen Bedenken der Stadt als Minderheitsgesellschafter wirklich zu berücksichtigen (Opferung des großen Saales im Seniorenheim, Verkehrsbelastung für die Wildauer Bürger am frühen Morgen), wurde von der Seniorenheim GmbH die interne Lösung, der große Saal im Wildauer Seniorenheim, durchgesetzt. Ökonomische Gründe – Nutzung des vorhandenen großen Saales – sprachen für diese Variante.

Am 04.07.2013 gab es eine wichtige Kooperationsvereinbarung mit Schönefeld zu dem gemeinsamen „Mittelzentrum in Funktionsteilung" Schönefeld-Wildau. Sehr bedeutsam für Wildau war am 28.05.2013 die Eröffnung der ADAC-Regionalstelle im A10 Center. Am 11. Juni 2013 wurden die Querstraße im SMB-Gelände und der Platz vor der TH-Bibliothek (Ludwig-Witthöft-Platz) für den Verkehr endgültig freigegeben. Am 31.07.2013 wurde nach langer Diskussion das neue Hub-Rettungsfahrzeug von unserer Feuerwehr endlich übernommen.

Am 14.08.2013 war Frank-Walter Steinmeier, diesmal eingeladen von der Arbeiterwohlfahrt, wieder in Wildau. Am 11.09.2013 wurden mit großem Pomp (u. a. zwei Landesminister) im südwestlichen Teil des SMB-Geländes zwei neue Hochschulgebäude, der Neubau Haus 16 und die denkmalgerecht wiederhergestellte Halle 17, ihrer Bestimmung übergeben. Die Halle 17 war die ehemalige Lehrwerkstatt im SMB und ist jetzt ein Hörsaalzentrum mit Audimax für die TH. Bereits zuvor, am 22. November

2012 ging der erste Neubau für studentisches Wohnen unmittelbar am Campus in Betrieb. 97 Plätze in schmucken Appartements erhöhten die Qualität von Studium und Leben an der TH spürbar. Ab diesem Zeitpunkt konnte man mit Recht davon sprechen, dass sich die TH Wildau zu einer attraktiven Campushochschule entwickelt hatte. Und der Ausbau ging auch danach weiter.

Lange und am Ende erfolgreich wurde 2013 in den beteiligten Gemeinden, darunter in Wildau, über den Kultur-Kalender ZEWS + KW (Königs Wusterhausen) diskutiert.

Am 13.11.2013 fand, wie jedes Jahr, der Tag des Ehrenamtes, eine große Auszeichnungsveranstaltung im großen Saal unseres Volkshauses, statt. Ca. 30–40 besonders engagierte Bürger, die ehrenamtlich in unserer Gemeinde bzw. Stadt tätig waren, erhielten öffentlich eine Wertschätzung in Form einer Auszeichnung und es gab Kaffee und Kuchen für alle.

Ende 2013 (05.12.2013) gab es noch neue Straßennamen im SMB-Gelände in offizieller Einweihung. Die sogenannte Querstraße und die Südanbindung dieses Geländes heißen seitdem „Hochschulring", der Platz vor der Bibliothek der TFH „Ludwig-Witthöft-Platz".

Eine große Auszeichnung erhielt unsere TH-Bibliothek. Sie wurde 2012 deutsche Bibliothek des Jahres. Am 06.10.2012 wurde unsere neue Gemeindebibliothek (gebaut von Aldi) offiziell eröffnet. Das war keine Selbstverständlichkeit, weil es im Vorfeld leider heftige Diskussionen um ihren Erhalt gab.

In 2013 (22.08.) wurde die Freiheitstraße für den Verkehr freigegeben. Sie enthält in ihrem Ostteil einen riesigen Regenwasser-Stauraumkanal, um künftig die Schwartzkopffsiedlung vor Überflutungen durch Regenwasser zu schützen.

Bemerkenswert ist auch, dass unser Internet-Auftritt als Gemeinde Wildau 2013 auf über 50.000 Zugriffe aus aller Welt, sogar aus Australien, kam. Jahrelang, so auch 2013, hatten wir eine „Baby-Mappe", ein Willkommens- und Unterstützungsgeschenk für unsere Neugeborenen, an dem sich viele Wildauer Unternehmen beteiligten.

Auch in 2013 hatte ich mehrere Prominente zu nützlichen und zumeist lockeren Gesprächsrunden zu Gast. Wir begrüßten im Wildorado etwa den griechischen Konsul Antonius Koliadis (28.02.2013), die Professoren László Ungvári und Christa Luft als Bundestagsabgeordnete der Linken (23.05.2013), den Ex-Staatsratsvorsitzenden der DDR, Egon Krenz (27.06.2013), den damaligen brandenburgischen Finanzminister Helmuth Markov (02.09.2013) und Peter Ducke, DDR-Fußballidol und Weltklassestürmer (14.11.2013).

Im Gespräch mit dem griechischen Konsul ging es natürlich um die Krise in Griechenland und wie Brandenburg helfen kann. Egon Krenz war nicht als ehemaliger Staatsratsvorsitzender und ehemaliger Parteichef (SED) eingeladen, sondern als Herausgeber eines dicken Buches über Walter Ulbricht. Viel diskutiert wurde über den politischen Wechsel in der DDR 1971 und seine Folgen, natürlich auch über die „Wende" 1989. Manche Gräben blieben tief, aber die Diskussion war sachlich und offen. Am 14.11.2013 erfuhren wir auch von Peter Ducke wiederholt, dass der Fußball rund ist und dass die DDR auch in Jena viele kleinbürgerliche Schikanen kannte.[5]

Im Herbst 2013 (07.09.2013) hatten wir noch zwei besondere Ereignisse in Wildau, die Freigabe und Einweihung der Landesstraße L401, 1.Bauabschnitt, hier unter dem Namen Karl-Marx-Straße. Viel Prominenz war zugegen, darunter der zuständige Landesminister Jörg Vogelsänger. Wir erhielten für diese Straße sogar den Segen von ganz Oben, vermittelt von der Pfarrerin Cornelia Mix (trotzdem vorsichtig fahren!). Die Baustelle hatte uns lange belastet. Heute ist die Straße ein Schmuckstück. Die neuen Bäume (Tiefwurzler) stehen in einem satten Grün, nachdem gerade über deren Verpflanzung lange und intensiv diskutiert worden war. Das zweite an diesem Tag war unser erstes Stadtfest. Gerade durch die Straßeneinweihung hatten wir richtigen Grund zum Tanzen.[6]

Zum Tanzen war auch, dass unsere Schmiede in 2013 die Sanierung und Modernisierung des großen Gegenschlaghammers (Jahrgang 1974) schaffte. Der modernste und einer der größten Gegenschlaghammer Europas arbeitete wieder in Wildau. Wenn man so will, das Herz des Ortes schlug wieder.

Einweihung und „Segnung" der neu sanierten Karl-Marx-Straße (L 401) in Wildau (anwesend waren u. a. Pfarrerin Cornelia Mix, Landesminister Jörg Vogelsänger und Stefan Ludwig, Bundestagsabgeordnete Jana Schimke, Landtagsabgeordnete Tina Fischer und der Präsident der TFH Prof. Dr. László Ungvári)

Arbeiter beim Freiformschmieden in der „Schmiede" Wildau

Eingang der Wildauer Schmiedewerke GmbH

Blick in die „Kurbelwelle" Wildau

Außerdem realisierten wir noch eine große Investition in Wildau:
Sanierung von Dach und Brandschutz des Gesundheitszentrums
(früher Poliklinik des Schwermaschinenbaus, heute Tochter-
Gesellschaft der Stadt).

Weitere Höhepunkte ab 2014 –
und ein schlimmer Radsturz mit Folgen

Der schlimme Sturz traf zum Glück nicht Wildau, sondern mich persönlich.

2014 war fast so dynamisch wie 2013 für Wildau. Am 15.01.2014 wurde der sanierte und erneuerte Bahnhof Wildau freigegeben. Schon am 23.01.2014 übernahmen wir die Videoüberwachung des neuen Bahnhofes. Dies war notwendig, um dem Vandalismus entgegenzuwirken. Bahnhöfe sind dafür ein besonderes Ziel.

Am 29.01.2014 besuchte uns der damalige Landes-Wirtschaftsminister Ralf Christoffers.

Wildau hatte in 2014 noch mehrfach prominenten Besuch, darunter waren etwa Landes-Minister Jörg Vogelsänger, Gregor Gysi (23.06.2014, TH Wildau), der heutige Bundespräsident und damalige Bundes-Außenminister Frank-Walter Steinmeier (TH-Exmatrikulation 18.10.2014) sowie Ministerpräsident Dietmar Woidke (TH). Gregor Gysi referierte mit viel Applaus im vollbesetzen Audimax. Ich war mit dem „Ökonomen" Gregor Gysi nicht immer einverstanden.

Wichtig für Wildau, insbesondere auch für unseren Arbeitsmarkt, waren die Ansiedlung des ADAC-Service-Centers (inkl. Reisebüro) im Umfeld des A10 Centers und insbesondere die Umsiedlung der Fa. Meyer, eine Enkeltochter der international agierenden Albertusgruppe, ein Vertriebs- und Logistikunternehmen in den Bereichen Reinigung und Hygiene für Berlin und Brandenburg. Das Unternehmen kam aus Schönefeld (OT Waßmannsdorf) nach Wildau.

Wildau hatte auch aus anderen Gründen einiges zu feiern. Etwa im Sport. Unsere männlichen A-Jugendlichen im Handball wurden 2014 brandenburgische Landesmeister und stiegen in

die überregionale Ostsee-Spree-Liga auf. Unsere 1. Männer-
mannschaft im Fußball schaffte den Aufstieg in die Landesliga.

Außerdem – weniger sportlich, sondern die Ernährung betref-
fend – belegte unsere entsprechende Arbeitsgemeinschaft der
Oberschule unter der Federführung von Gilbert Debs in einem bundesweiten Koch-Wettbewerb einen viel beachteten
vierten Platz.

Am 28.06.2014 gab es unser schönes Stadtfest (inkl. Vereins-
und Feuerwehrfest). Bedeutende Jubiläen fielen in 2014 an.
Zum Beispiel das 10jährige Bestehen der Fa. Airkom. Außerdem 20 Jahre „Villa Elisabeth" (priv. Gymnasium), 20 Jahre
Seniorenheim GmbH (02.04.2014), 100 Jahre Kleingartenver-
ein „Am Turnplatz" (13.09.2014). Ein großes Jubiläum feierten
wir um unser Otto-Franke-Stadion, das am 01.05.2014 60 Jahre alt wurde. Das Stadion war bei seiner Eröffnung etwas ganz
Besonderes, vor allem, wenn man an die Zeit kurz nach dem
Krieg denkt. Besonders ist es auch heute noch, wenn auch in
die Jahre gekommen. Die Sanierung ist eine der Zukunftsauf-
gaben von Wildau.

Die positive Entwicklung des Wildauer Arbeitsmarktes (Rück-
gang der Arbeitslosigkeit) setzte sich 2014 fort. Deutlich wurde dabei unter anderem, dass Wildau in Bezug auf die Frauen-
erwerbsquote bundesweit mit an der Spitze stand.[7] Wildau war
und ist auch diesbezüglich modern. Vor allem die Unternehmer freuen sich, insbesondere für den Fachkräftenachschub in
ihren Betrieben.

An Vorhaben war 2014 in Wildau bemerkenswert, dass der 1.
Bauabschnitt der Bergstraße geschafft wurde, eine schwierige
und aufwendige Investition. Immerhin ist die Wildauer Bergstraße die am stärksten befahrene Gemeindestraße des gesamten
Landkreises. Im Sommer 2014 ging die Sanierung des Wildorados weiter (1,3 Millionen Euro). Im Mittelpunkt standen die
Wasseraufbereitung und der Sanitärbereich des Altbestandes.

Ende November 2014 (26.11.2014) veranstalteten wir wieder den „Tag des Ehrenamtes". Ehrenamtler, die besondere Verdienste hatten, wurden eingeladen, ebenso Vereinsvorsitzende und andere wichtige Aktive. Alle konnten mal in Ruhe ins Gespräch kommen, über „Gott und die Welt" und über die konkreten Probleme von Wildau. Ich hielt diese Veranstaltung immer für wichtig, weil die vielen, sehr breit aufgestellten Ehrenamtlichen eine der Stärken des Ortes ausmachen. Kritik gab es trotzdem, vor allem aus GroKo-Kreisen. Ich ließ mich aber nicht beirren.

Am Tag danach (27.11.2014) gab es noch eine für die Bürger wichtige Neu-Eröffnung in Wildau, einen großen dm-Markt neben der REWE-Filiale.

2014 war insofern für die Ausstrahlung Wildaus von Belang, als am 08.05.2014 ein S-Bahnzug auf den Namen „Wildau" getauft wurde. Außerdem standen wir wieder im internationalen Interesse, nachdem unser Zentrum für Luft- und Raumfahrt III eine chinesische Delegation zu Gast hatte (25.11.2014).

Luftbild vom Zentrum für Luft-und Raumfahrt (ZLR) III in Wildau

In 2014 ging es auch mit meinen Prominenten-Gesprächen weiter. Zu Gast waren unter anderem die Buchautorin Angela Erbe („Der enträtselte Mann. Testosteron – Die Würze des Lebens"), der amerikanisch-deutsche Friedenskämpfer, Journalist und Buchautor Victor Grossmann, die Buchautorin, Unternehmerin und Journalistin Dr. Martina Wiedemann (Adele Sauer) sowie Boudoirfunk, eine erotische Kleinkunstbühne aus Berlin. Die Gesprächsstunden verliefen allesamt sehr schön. Schön war zudem, dass Wildau in 2014 die Miss-Brandenburg stellen konnte (die TH-Studentin Lisa Wargulski).[8]

Im Jahr 2015 ging die Entwicklung Wildaus ähnlich voran wie 2014. Die Arbeitslosigkeit näherte sich der 250-er Grenze (im Februar 2005 noch weit über 700 Arbeitslose). Gleichzeitig wurde der Arbeitskräftemangel immer fühlbarer. Im Osten sahen wir noch ein wirksames Mittel dagegen: Lohnzuwächse, um auch potenzielle Arbeitskräfte aus dem Westen Deutschlands anzulocken, zumindest dort, wo die Unternehmen das wirtschaftlich konnten. Für Deutschland insgesamt muss es eine zielgerichtete Einwanderung geben. Allerdings kommt die schnell in den „Geruch" von „brain drain". Dagegen helfen nur Abkommen mit den betroffenen Ländern, abgeschlossen im Interesse der involvierten Menschen. Die ehemalige DDR hatte einen relativ guten Ansatz: Qualifikation, Arbeit, Rückkehr. Der Westen Deutschlands hatte schon jahrzehntelang von der Zuwanderung etwa aus dem Osten Europas, darunter besonders aus der ehemaligen DDR, ökonomisch profitiert.

Die Zuwanderung von Flüchtlingen, vor allem aus Syrien, war 2015, 2016 und in den folgenden Jahren ein ernsthaftes Thema auch in Wildau. Allerdings wurde nicht nur darüber geredet, sondern schließlich auch gehandelt. So baute unsere WiWO nach intensiven Verhandlungen mit dem Landkreis eine neue moderne Flüchtlingsunterkunft. Wir konnten so dem Landkreis effektiv helfen, der 2015 plötzlich aufgrund der Entscheidung Anderer in eine sehr schwierige Lage (Zustrom von Flüchtlingen) gekommen war. Wir informierten unsere Bürger ausführlich im großen Saal unseres Volkshauses (22.10.2015) über unsere Vorhaben bzw. die Planungen der Wildauer Wohnungsbaugesellschaft (WiWO).

Natürlich wurden auch unsere „normalen" Investitionen in 2015 fortgesetzt. Bedeutsam waren unter anderem Dach und Fassade der Schwimmhalle (alt), der 2. Bauabschnitt der Bergstraße und der Anbau an die Kita am Markt mit 50 Plätzen für die Kleinsten der Kleinen. Ein Erwachsenenspielplatz wurde 2015 (26.08.) von einem wichtigen Investor im Röthegrund II fertiggestellt (auch für Kinder geeignet). Viel Freude gab es auch am Klubhaus (Villa am See) bei der Übernahme der Steganlage, deren Bau durch die Stadt finanziert wurde.

Nach Wildau kam, nachdem wir schon den beliebten Fernsehsender KW-TV mit der Eigentümerin Petra Pogorzalek in Wildau hatten, 2015 der regionale Radiosender „Hitradio SKW", dieser ist überregional bekannt und beliebt. Ferner eine neugegründete interessante Weiterbildungsfirma (AMVG. Aktivieren, Motivieren, Vermitteln und Gesundheit).

Es gab 2015 wieder wichtige Jubiläen in Wildau, z.B. der TAW (25 Jahre Technische Akademie Wuppertal, ein wichtiger Weiterbildner), des Singekreises Wildau (10 Jahre, wo „Musik ist, da lass dich nieder, böse Menschen haben keine Lieder", Johann Wolfgang von Goethe).

2015 hatte der damalige und langjährige Präsident der Technischen Hochschule Wildau, Laszlo Ungvári, einen runden Geburtstag und wurde zum Ehrenbürger von Wildau gewählt. Die Hochschule hatte sich in den Jahren davor sehr gut entwickelt – mit mittlerweile 33 Studiengängen, Kooperationsbeziehungen mit Einrichtungen in 60 Ländern der Erde und fast 4.000 Studenten. Das macht(e) Wildau als Standort noch interessanter.

Am 08. März wurde wieder der Internationale Frauentag im großen Saal des Wildauer Volkshauses festlich begangen. Einzelne Männer waren auch „zugelassen". Ich durfte auch teilnehmen und eine Rede halten. Am 25. April begingen wir feierlich den 70. Jahrestag der Befreiung Wildaus von der NS-Herrschaft. Im Mai 2015 (19.05.) führten wir an der TH im Freien das bekannte „Stadtlesen" durch. Im Juni (27.06.2015) folgte dann wieder unser von vielen Ehrenamtlichen, der Feuerwehr, Kitas, Schulen, dem Wildorado und vielen weiteren Bürgerinnen und Bürgern vorbereitetes und durchgeführtes fantastisches Stadtfest.

Schon im Januar 2015 (22.01.) veranstaltete die Verwaltung federführend, mit viel Engagement von Katja Lützelberger, eine Kunstausstellung mit Vernissage im Volkshaus, unserem Rathaus. Es blieb nicht bei der einen – weitere Ausstellungen folgten im Verlaufe des Jahres. Unser Rathaus war damit eine offene Kunst-Begegnungsstätte geworden. Zu den Vernissagen kamen immer ca. 70 bis 100 Gäste.

Auch in 2015 führte die Stadt (wie fast jedes Jahr) zwei Umwelttage durch. Vor allem viele junge Leute (Schüler) sammelten die Verunreinigungen in der Wildauer Ortslage auf, die andere achtlos oder vorsätzlich weggeworfen hatten. Die Beteiligten waren wie jedes Jahr sauer über den vielen aufgefundenen Müll.

2015 hatte ich wieder Besuch einer Delegation aus China (unterschiedliche Verwaltungsebenen). Diesmal ging es um Gesundheit. Die chinesischen Gäste waren sehr aufmerksam – etwa beim Besuch unseres Gesundheitszentrums.

Weiter gingen in 2015 auch die Gesprächsrunden mit Prominenten, diesmal mit besonders vielen Besuchern. Das lag vor allem an einem Gast und zwei besonders spannenden Themen. Als Zuhörermagnet erwies sich zunächst der letzte Innenminister der DDR und ehemalige CDU-Frontmann in Brandenburg, Peter-Michael Diestel, heute bekannter Rechtsanwalt. Außerdem ging es um das Verhältnis Ukraine/Russland und die deutsche Politik gegenüber beiden Ländern. Schließlich berichtete uns die international bekannte deutsche Journalistin Karin Leukefeld über die wirkliche Lage in Syrien. Zum Verhältnis

Ukraine/Russland betonten meine Gäste Peter-Michael Diestel, Wolfgang Gehrke (Die Linke) und László Ungvári die besondere Verantwortung Deutschlands für eine Verbesserung der Situation. Auch gegen die Interessen der USA.

Podiumsdiskussion auf der Russland/
Ukraine-Veranstaltung an der TH
Wildau, Peter-Michael Diestel

Podiumsdiskussion, Dr. Uwe Malich

*Podiumsdiskussion, Wolfgang Gehrke,
Die Linke*

In 2016 ging es ähnlich stürmisch mit Wildau voran wie in den Jahren zuvor. Ausdruck dessen war vor allem die Schaffung neuer Arbeitsplätze. Mit rund 500 neu geschaffenen Stellen wurde das hohe Niveau der vergangenen Jahre gehalten. Besonders bemerkenswert war in 2016 die Ansiedlung der Firma LCK. Metall im neuen Gewerbepark, die immerhin von Wildau aus bis nach Neuseeland exportiert. Auch die Stadt Wildau führte in 2016 wichtige Investitionen durch, z. B. den dritten Bauabschnitt der Bergstraße.

Sehr bedeutsam waren 2016 die Erneuerung des Daches der Sporthalle und die schwierige Sanierung des Hubbeckens der Schwimmhalle (Neubestand). Und es wurde ein sehr altes Problem gelöst: der Regenwasserkanal in der Puschkinallee in Verbindung mit der Straße Am Wildgarten. Hier gab es eine sehr enge und gute Zusammenarbeit mit dem Märkischen Abwasser- und Wasserverband (MAWV). Dafür darf ich an dieser Stelle noch einmal ein großes Dankeschön aussprechen.

Endlich – nach großen Anstrengungen der Beteiligten (WiWO, Betreiberin, Stadt) – wurde im Juli 2016 (08.07.2016) das Klubhaus, die neue Villa am See, öffentlich freigegeben. Sogar die

Infrastrukturministerin des Landes, Frau Schneider, war zur offiziellen Eröffnung nach Wildau gekommen. Zwei für die Gesundheit wichtige Investitionen wurden in unserem Gesundheitszentrum von privater Seite durchgeführt: die Anlage für MRT (Magnetresonanztomographie) und eine CT-Maschine (Computertomographie). Investor war Dr. Kogan, der vor Jahren aus der Ukraine nach Deutschland gekommen war. Im Mai 2016, noch rechtzeitig vor dem 100. Geburtstag des Anglervereins (September 2016), wurde eine Erweiterungsinvestition am Vereinshaus fertig. Das war sehr wichtig für die Angler und ihre Gäste. Die Stadt Wildau hatte sich mit einem erheblichen, lange umstrittenen Betrag daran beteiligt.

Ein weiteres bedeutsames Sportprojekt wurde nach langer kontroverser Diskussion durch Hauptausschuss-Beschluss im Sommer 2016 auf den Weg gebracht, der Kunstrasenplatz. Auch hier war die Stadt mit viel Geld dabei.

Schwierig, aber ohne finanziellen Einsatz der Stadt, war in 2016 noch die Sanierung des Hauses „Hochsitz 14" erfolgt. Hier musste der Eigentümer viel Geld und Geduld parat haben.

Geduld war auch bei Toyota gefragt, bis 2016 endlich die Hybrid-Technik – die Kombination von Verbrennungsmotor und Elektro-Antrieb – ein toller Renner des Autohauses Dietz in Wildau werden konnte.[9] Die technisch ausgereifte Kombination beider Motoren senkt die Betriebskosten und schont die Umwelt (CO_2-Senkung).

2016 war wieder ein sehr jubiläumsreiches Jahr für Wildau. Immerhin 25 Jahre Technische Hochschule, 25 Jahre WiWO, 25 Jahre RAKW. Das bekannte Tiefbau-Unternehmen hat noch immer die Nachbarstadt in seinem Namen (KW für Königs Wusterhausen), war aber schon lange in Wildau ansässig. 65 Jahre Bestehen feierte unser Zupfmusikantenorchester. Die 100 Jahre der Angler wurden schon genannt. 70 Jahre wurde unsere Kita am Markt, 20 Jahre das A10 Center mit seinem großen, bei den Kunden sehr erfolgreichen Real-Markt (12.000 qm), 10 Jahre unser Kunstfoyer. Es gab also viel zu feiern in Wildau. Aber es wurde auch gearbeitet. So führte ich natürlich, wie beinahe jedes Jahr, meine beiden Wirtschaftsstammtische (Frühjahr und Herbst) durch. Es wurde in der Regel ein Schwerpunktthema über Wildau diskutiert und mehrere „große" überörtliche Themen. Mir ging es darum, die Unternehmer miteinander bekannt zu machen und ein „normales", konstruktives Verhältnis der Unternehmer zur Verwaltung zu entwickeln.

Am 08. März begingen wir (mit dem Landkreis) wieder den Internationalen Frauentag im großen Saal unseres Volkshauses, am 08. Mai den Tag der Befreiung in Wildau. Ich referierte über den Zweiten Weltkrieg, der mindestens 55 Millionen Menschenleben forderte. Vertreter der russischen Botschaft waren anwesend, der ukrainischen trotz Einladung leider nicht. Kurze Zeit später (21.05.2016) hielt ich eine Rede vor vielen jungen Leuten und ihren Eltern im Cinestar-Kino in Wildau. Es ging um die Jugendweihe und Lebensweisheiten für die Jugendlichen. Ich konnte mich dabei noch an meine eigene Jugendweihe gut erinnern, und jetzt stand ich selbst vor den Jugendlichen. Nun, im Laufe der Jahre, war einiges Erzählenswertes dazugekommen.

2016 war wieder Walpurgisnacht in Wildau, im engeren Sinne erfolgreich, im weiteren Sinne (Umfeld) durchaus bedenklich (sehr viele Jugendliche, leider Alkoholmissbrauch). Das „Stadtlesen" (03.05.2016) und ein tolles Stadtfest (18.06.2016) waren weitere kulturelle Höhepunkte.

Stadtlesen 2016 vor der TH-Bibliothek

Stadtlesen 2016

Anfang Juni 2016 veranstaltete ich ein Unternehmermeeting zu den Exportchancen der lokalen Wirtschaft auf der ILA.

In diesem Jahr setzte ich meine Prominenten-Gespräche fort. Zunächst eine berühmte Jazzsängerin, deren Lieder ich schon als junger Mann mitsummte: Uschi Brüning (17.03.2016). Die Sängerin erhielt viel herzlichen Applaus. Als zweiten Gast hatte ich einen umstrittenen, aber erfolgreichen Sachbuchautor zu Besuch: Thilo Sarrazin (15.09.2016). Es gab eine kontroverse Diskussion zur massenhaften Zuwanderung, vor allem aus dem arabischen Kulturkreis. Am Ende erhielt der Gast aber viel Beifall, er hatte sich wacker „geschlagen".

In 2016 wurde die Bergstraße in Wildau freigegeben (Fertigstellung der gesamten Straße, 21.07.2017, Eröffnung unfallbedingt ohne meine Teilnahme). Einen Monat vorher, am 21.06.2017, fand noch unter meiner aktiven (sportlichen) Teilnahme die offizielle Freigabe eines von privater Seite finanzierten Calisthenics-Sportparkes neben dem Bolzplatz unweit des Wildorados statt. 2017 zog ein weiteres wichtiges Unternehmen von Königs Wusterhausen nach Wildau um, das Bauunternehmen MP. Märkische Projektbau.

In 2017 gab es in Wildau zahlreiche Jubiläen. Das Wildorado wurde 10, die Ortschronistengruppe bestand 20 Jahre, ebenso die Kita Wirbelwind, auf 30 Jahre blickte die Toyota-Niederlassung zurück und der Wildauer Briefmarkenverein sogar auf 65 Jahre.

Im ersten Halbjahr 2017 hatte ich zwei Gesprächsrunden mit interessierten Rentnern zur Entwicklung von Wildau. Am 17.06.2017 fand unser jährliches Hafenfest statt, mit dem legendären Volleyballspiel (ich nahm inzwischen nur als Schiedsrichter teil). Am 26.05.2017 musste bzw. durfte ich für meinen langjährigen ehemaligen Chef und Doktorvater, Prof. Dr. Walter Becker, eine Grabrede halten. Er wird immer einen besonderen Platz in meinen Erinnerungen haben, denn er war in vielerlei Hinsicht mein Vorbild. Ein vergnüglicher Mensch mit sehr großem Wissen und für viele Zuschauer als Moderator das Gesicht des Verkehrsmagazins im DDR-Fernsehen.

Am 13. Mai hatte ich wieder einmal die Gelegenheit vor zahlreichen Jugendlichen und ihren engsten Verwandten anlässlich ihrer Jugendweihe sprechen. Ich blickte dabei zurück auf meine eigene Jugend, brachte Anekdoten ein und gab vergnügliche Hinweise für den weiteren Lebensweg der jungen Menschen.

Im Juni 2017 führte Starkregen zu einem großen und langandauernden Feuerwehreinsatz. Das A10 Center konnte den Regen nicht mehr aufnehmen, es „lief" quasi über und der Starkregen drohte das Gartencenter Pflanzen-Kölle zu fluten. Die Firma Meyer wurde teilweise überflutet. Das System der Regenentwässerung im Gewerbepark wartet immer noch auf seine finale Ertüchtigung – eine akute Aufgabe, gerade wegen des Klimawandels und seiner Folgen.

Auch 2017 fuhr ich im Interesse meiner Gesundheit in meinem Viertel viel Fahrrad. Das lief sehr gut, jedenfalls bis Mitte Juli des Jahres. An einer unübersichtlichen Kreuzung stürzte ich sehr unglücklich und schwer und musste ins Krankenhaus, weil meine TEP (Totalendoprothese) im rechten Oberschenkel Schaden erlitten hatte. Die Expertenmeinungen schwankten zwischen konventioneller Heilung und Operation. Ich hatte großen Respekt vor der Operation und hielt mich diesbezüglich sehr zurück, ich hoffte… Es ging langsam voran. Ich lernte wieder Laufen. Ich nahm mit Mühe – und der Hilfe meiner Frau – an der offiziellen Grundsteinlegung von Bauwert im Röthegrund II teil. Dort hielt ich natürlich wieder eine Rede.

Grundsteinlegung für den neuen Gebäudekomplex im Röthegrund 2, u. a. mit einem Chef der Bauwert AG, Herrn Dr. Leibfried (links)

Der große Wohngebäudekomplex von Bauwert an der Miersdorfer Straße war umstritten, passte aber in den Rahmen des alten Bebauungsplan der Gemeinde Wildau (v. Mitte der 90er Jahre) und brachte einen Schuss städtische Urbanität. Die Fans von Hoherlehme (bis 1922 die Bezeichnung von Wildau) sehen das sicher anders. Wildau ist jetzt nicht bloß vom Namen her Stadt, sondern sieht in einigen Wohngebieten auch danach aus.

Meine beliebten Gesprächsrunden führte ich auch 2017 fort. Zunächst noch vor meinem schlimmen Fahrradunfall. So mit dem Sachbuchautor und ehemaligem DDR-Staatssekretär Dr. Klaus Blessing am 16.03.2017.[10] Dieser brachte gleich noch seinen Co-Autoren und Ex-Kollegen Dr. Manfred Domagk mit. So saß ich als Bürgermeister der kleinen Stadt Wildau zwischen zwei Staatssekretären a. D. der ehemaligen DDR. Es ging vor allem um den subjektiven Faktor beim Untergang der zentralistischen DDR. Die „führenden Genossen" spielten dabei eine wichtige Rolle, etwa Günter Mittag, Gerhard Schürer und Alexander Schalck-Golodkowski. Selbst der im Saarland geborene SED-Chef Honecker wurde in dem Zusammenhang genannt. Er soll auch gesamtdeutsche Ambitionen gehabt haben. Am 01. Juni 2017 folgte ein bekannter Stahlmanager und Sachbuchautor, Prof. Dr. Karl Döring. Unter anderem ging es um den Abbruch des oft unterschätzten Ulbricht'schen Modernisierungsweges am Anfang der 70er-Jahre durch eine knappe Politbüromehrheit unter Honeckers Führung. Am 28.09.2017 folgte Dr. Frank Welskop, ein konsequenter BER-Kritiker und Sachbuchautor. Der BER ist ökonomisch schon am Ende, ehe überhaupt seine Eröffnung feststeht, so der Kritiker. (Inzwischen eröffnet.)

Im Herbst 2017 begann der Bürgermeister-Wahlkampf. Ich gewann mit über 50 Prozent erst in der zweiten Runde (Stichwahl). Immerhin vor SPD und im ersten Durchgang auch vor der AfD. Ich musste nur noch gesund werden.

Bürgermeister-Wahlkampf 2017, Dr. Uwe Malich

In 2018 erlitt ich nach anfänglicher Erholung drei schwere gesundheitliche Rückschläge. Jeder, der schon einmal eine ähnliche Situation erlebt hat, weiß wovon ich spreche. Deshalb konnte ich im gesamten Jahr 2018 meine Arbeit als Bürgermeister nur eingeschränkt wahrnehmen.

Erst Ende Oktober/Anfang November 2018 erfuhr ich, dass meine starken Schmerzen auf ein loses Knochenteil zurückzuführen waren, das in meinem Oberschenkel "wanderte", Muskeln und Nerven tangierte und große Schmerzen verursachte. Am 31. Oktober 2018 wurde es im Zuge einer zweiten TEP-Operation gefunden und herausgenommen. Leider musste diese Operation wegen Keimbefall kurze Zeit später noch einmal unter Vollnarkose wiederholt werden. Die langandauernden, quälenden Schmerzen verschwanden aber. Zum Jahresende 2018 war ich wieder relativ gut unterwegs. Aber noch unter Einsatz einer Vierfuß-Krücke.

Zuvor hatte ich aber noch eine schwere Entscheidung zu treffen. Aufgrund meiner unfallbedingten Einschränkungen konnte ich meinen Mitarbeitern nicht sagen, ob ich meine Tätigkeit in absehbarer Zeit wieder aufnehmen würde. Es gab aber auch noch einen zweiten, mentalen Grund.

Die damalige Vorsitzende der Stadtverordnetenversammlung, Angela Homuth, wollte mit einem „Totschlagsargument" gegen mich vorgehen. Übrigens hat sie mit mir darüber nie persönlich gesprochen. Selbst meine Parteifreunde wollten mich „überzeugen", in Rente zu gehen: „Dann lässt du die ganzen Querelen hinter dir." Andererseits gab mir mein Anwalt den freundschaftlichen Rat: „Du musst dich verteidigen."

Ich war in einem Dilemma und überlegte sehr lange. Zum einen gab es für mich ein nachvollziehbares Altersargument, aber auch eine rote Linie, die ich nicht überschreiten wollte und konnte. Zudem stand ich zu meiner politischen Verantwortung. Schließlich wurde ich von den Wählern dreimal in die Position des Bürgermeisters gewählt. Stets mußte ich mich dabei mit einer GroKo-Mehrheit in der Stadtverordnetenversammlung herumschlagen, Verwaltung/Bürgermeister und Vertretung/Politik standen deshalb zunehmend in Konfrontation. Jede kleine Entscheidung für Wildau musste erbittert erkämpft werden. Jeden Morgen musste ich mit einer oder mehreren bösen E-Mails rechnen. Dazu noch in einem „unterirdischen" Deutsch.

Nach langem Abwägen entschied ich mich für den Ruhestand. Zumal ich zum Jahreswechsel 2018/2019 das Pensionsalter erreichte. Eigentlich wollte ich noch länger arbeiten. Aber unter diesen Bedingungen konnte und wollte ich nicht mehr. Das Verhältnis zur örtlichen Politik gestattete keine sachliche Zusammenarbeit mehr.

Verabschiedung in den Ruhestand im Mai 2019. Die „vier Musketiere" und zwei Damen. Von links nach rechts: Bürgermeister a.D. von Schönefeld Dr. Udo Haase, meine Frau Valerie, Elli Müller (ehem. Schuldirektorin in Wildau), der Buch-Autor, der Bürgermeister a.D. von Königs Wusterhausen Dr. Lutz Franzke, der Amtsdirektor von Lieberose/Oberspreewald Herr Bernd Boschan

NACHTRAG

Ende 2018 ging es mir körperlich schon wieder etwas besser. Ich konnte – mit Gehhilfe – einigermaßen laufen. Jedoch noch nicht Fußball spielen.

Dann erlitt ich Anfang Januar 2019 erneut einen schweren Rückschlag: ein schwerer Sturz mit der Folge eines Beckenbruches. Ich wurde wieder im Virchow-Klinikum in Berlin operiert. Die Operation war erfolgreich. Aber ich musste und muss wieder laufen lernen. Zum Glück hilft mir meine Frau und es helfen viele weitere Menschen und Freunde. Danke!

SCHLUSS

Es waren verschiedene objektive und subjektive Faktoren, die den (Wieder-)Aufstieg des kleinen ostdeutschen Wildau in die deutsche und internationale Spitze bewirkten. Da ist zunächst die Nähe zur großen und attraktiven deutschen Hauptstadt Berlin zu nennen. Auch die zentrale Lage in der Flughafenregion Schönefeld/BER spricht für Wildau, und natürlich die exzellente Verkehrsanbindung. Dazu kommt die attraktive Umgebung.

Wir leben und arbeiten dort, wo andere Urlaub machen. Das war schon zu DDR-Zeiten so und ist heute wieder so. Ein Wildau-spezifischer Faktor sind die Möglichkeiten für vielfältige Synergieeffekte am Ort (und mit der Umgebung): wirtschaftlich, wissenschaftlich, technologisch. Es gibt eine Vielzahl breit aufgestellter wettbewerbsfähiger Unternehmen, die Technische Hochschule, wissenschaftliche Institute und Bildungseinrichtungen. Dies fördert sowohl die weitere wirtschaftliche Zusammenarbeit und Entwicklung, als auch den Wissens- und Technologieaustausch.

Viele subjektive Faktoren spielten und spielen eine Rolle. Es ging vorausschauend um die richtigen politischen Weichenstellungen und Verwaltungsentscheidungen. So konnte eine regelrechte Aufbruchsstimmung erzeugt werden. Natürlich wünscht man sich davon immer noch mehr. Viele erfolgreiche Akteure auf unterschiedlichsten Gebieten sind Garanten dafür, dass sich Wildau auch zukünftig positiv entwickelt.

Es bleibt auf jeden Fall spannend. Schauen wir mal, wie es weitergeht.

Dr. sc. Uwe Malich

Dr. Uwe Malich bei der Benennung eines Zuges auf den Namen „Wildau"

QUELLEN UND ANMERKUNGEN

1 Vgl. Malich, Uwe: Studien zur Geschichte und Theorie des (deutschen) Imperialismus, Berlin 1991.

2 Malich, Uwe: Ein Blitzkrieg und kein Ende. Die sozialen und ideologischen Grundlagen der deutschen Kriegsführung 1914-1918, München 2018.

3 Ebenda, S. 12f.

4 Malich, Uwe: Bekannte Persönlichkeiten und spannende Debatten in Wildau. Der Bürgermeister lädt ein, München 2018, S. 21ff.

5 Ebenda, S. 21ff.

6 siehe Wildau Kompakt, Berlin 2014, S. 6ff.

7 siehe Malich, Uwe: Deutschland verändert sich. Die soziale und ökonomische Entwicklung auf kommunaler Ebene. Eine Stichprobe im Spiegel der Statistik, München 2017, S. 24ff.

8 Siehe ausführlich Wildau Kompakt, Berlin 2015, S. 18f.

9 Vgl. ebenda, Berlin 2015, S. 15f.

10 Vgl. Malich, Uwe: Bekannte Persönlichkeiten, a.a.O., S. 40ff.

Morgenstimmung in der Wildauer Schwartzkoffsiedlung

HERZ FÜR AUTOREN A HEART FOR AUTHORS À L'ÉCOUTE DES AUTEURS MIA KARDIA GIA
FÜR FÖRFATTARE UN CORAZÓN POR LOS AUTORES YAZARLARIMIZA GÖNÜL VERE
DER AUTORI ET HJERTE FOR FÖRFATTERE EEN HART VOOR SCHRIJVERS TEMOS OC
SERCE DLA AUTORÓW EIN HERZ FÜR AUTOREN A HEART FOR AUTHORS À L
BCEЙ ДУШОЙ К АВТОРАМ ETT HJÄRTA FÖR FÖRFATTARE À LA ESCUCHA DE LOS
MIA KARDIA GIA SYGRAFEIS UN CUORE PER AUTORI ET HJERTE FOR FÖRFATTER
HERZÖINKERT SERCE DLA AUTORÓW EIN HE
CORAÇÃO BCEЙ ДУШОЙ К АВТОРАМ ETT HJÄR

Der Autor

Uwe Malich blickt auf ein bewegtes Leben und
eine beeindruckende Laufbahn zurück. Geboren
1953 in Wildau, dem zentralen Schauplatz dieses Buches, ahnte er wohl kaum, dass er einmal
Bürgermeister seines Heimatortes werden würde. So vollzog er nach dem Schulbesuch zunächst
eine Lehre als Maschinenbauer. Das anschließen-
de Studium der Betriebs- und Volkswirtschafts-
lehre führte ihn zur Tätigkeit an der Hochschule
für Ökonomie in Berlin. Dem Forschungsschwer-
punkt Wirtschaftsgeschichte gilt bis heute sein besonderes Interesse. Nach den Wendejahren folgte
die Karriere als Unternehmens- und Existenzgrün-
dungsberater, die ins politische Amt als Bürgermeister von Wildau in den Jahren 2002–2018
mündete. Seine engagierte Arbeit wurde von den
Einwohnern der Stadt mit zweifacher Wiederwahl
honoriert. Nach gesundheitlichen Warnsignalen
genießt er heute den wohlverdienten Ruhestand
im Kreis seiner Familie.

Der Verlag

*Wer aufhört
besser zu werden,
hat aufgehört
gut zu sein!*

Basierend auf diesem Motto ist es dem novum Verlag ein Anliegen neue Manuskripte aufzuspüren, zu veröffentlichen und deren Autoren langfristig zu fördern. Mittlerweile gilt der 1997 gegründete und mehrfach prämierte Verlag als Spezialist für Neuautoren in Deutschland, Österreich und der Schweiz.

Für jedes neue Manuskript wird innerhalb weniger Wochen eine kostenfreie, unverbindliche Lektorats-Prüfung erstellt.

Weitere Informationen zum Verlag und
seinen Büchern finden Sie im Internet unter:

w w w . n o v u m v e r l a g . c o m

Lightning Source UK Ltd.
Milton Keynes UK
UKHW021836270421
382745UK00003B/308

9 783903 271999